U0789378

藏書

珍藏版

山海经

于立文 主编

陆

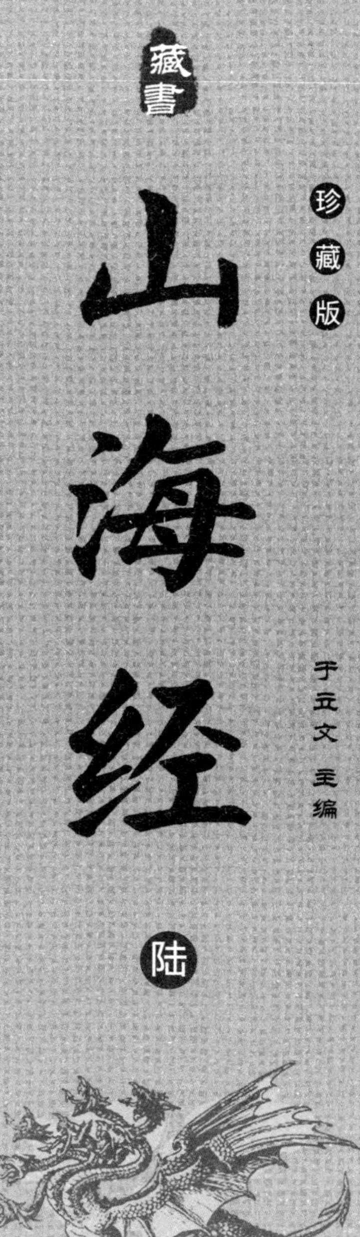

辽海出版社

目　录

第二十三卷　《山海经》中的部落世系

第二十四卷　《山海经》的远方异国

第二十五卷　《山海经》中的怪兽

第二十六卷　《山海经》的祭祀巫术活动和群巫

第二十七卷　《山海经》中的民俗

第二十八卷　《山海经》的医药与预测

第二十九卷　《山海经》中的天文奇观

（二）吴任臣《山海经广注》的考释

吴任臣（？～1689），原名志伊，字征鸣，一字尔器，又字任臣，号托园。后以字行。仁和（在杭州市）人。学问广博，经史乐律天文历法皆通。其《山海经广注》刻于康熙六年（1667）。柴绍炳《山海经广注序》云："同邑吴志伊任臣极溯源流，为《杂述》一卷。又于郭注外搜而讨之，为《广注》十八卷。又取舒绘本，次第增订为图象五卷，都为一部。书成，属余为之序。"北京大学藏康熙六年原刻本无《杂述》。而乾隆五十一年（1786）金阊书业堂刻本《增补绘像山海经广注》有柴氏序，有吴氏自序和《读山海经语》、《山海经杂述》、《山海经逸文》等，内容最完整。《四库全书》收录《广注》，比较易得。但是，四库本无图，无《杂述》。

《四库全书总目》对其评价是：

是书因郭璞《山海经注》而补之，故曰《广注》。于名物训诂，山川道里，皆有所订正。虽嗜奇爱博，引据稍繁，如堂庭山之黄金、青邱山之鸳鸯，虽贩妇佣奴皆识其物，而旁征典籍未免赘疣。卷首冠《杂述》一篇，亦涉冗蔓。然捃摭宏富，多足为考证之资。所列逸文三十四条，自杨慎《丹铅录》以下十八条，皆明代之书所见，实无别本。其为稗贩误记，无可致疑。至应劭《汉书注》以下十四条则或古本有异，亦颇足以广见闻也。旧本载图五卷，分为五类，曰灵祇，曰异域，曰兽族，曰羽禽，曰鳞介。云本宋成平舒雅旧稿，雅本之张僧繇。其说影响依稀，未之敢据。其图亦以意为之，无论不真出雅与僧繇，即说果确实，二人亦何由见而图之？故今惟录其注，图则从删。又前列引用书目五百三十余种，多采自类书，虚陈名目，亦不琐录焉。

这个评价是比较高的，所以《四库全书》只收录了郭璞注本和吴注本，明代注本一个未收。由于这个评价相当全面，又比较公允，向来为学界所普遍称引。

1. 遵循注经传统，不加任何评论

从郭璞开始，在《山海经》注解中是尽量不加评论的，个别需要抒发的议论都放在《图赞》里。但好言义理的王崇庆《山海经释义》尝试了评论。后来，刘会孟大约也沿袭王的做法。

吴任臣生当明末清初，其《广注》一书摒弃评论，专在文字考释、名物训诂。其书多引旧注，包括王崇庆、刘会孟的注；但是对于王、刘的评论文字几乎完全抛弃不用，甚至直接予以否定。例如，《大荒南经》云："有山名曰去痓。南极果，北不成，去痓果。"郭注云："音如风痓之痓，未详。"后面八字的含义不清。吴任臣案语云："皆山名，二合、三合语也。王崇庆《释义》谓：'去痓者，去志也。去志不果，知进而不知退也。'以为寓言，谬矣。"由于广引旧注，所以，《广注》的体例有些类似集注。

吴注解经文不加评论的做法，恢复了古代注释家的传统，也基本符合后来乾嘉考据学的规范。这可能是《四库全书》收

录其书的重要原因。毕沅、郝懿行对《山海经》的校订、注释是受到他的一些影响的，不少材料直接来自《广注》提供的线索。

不过，吴任臣当时考据学没有全面发展，他的某些做法也不够完善。比如，他虽然参照了不同版本，但是竟然没有说明自己依据的底本是哪一个，更不提校本的名字。出校记只是用"一作"来说明，没有考订，显然对于版本校正工作不是很重视。这和毕沅、郝懿行的做法是不同的。

2. 确定考证《山海经》地理的若干原则

元、明、清三代大修《一统志》，提高了一般学术界的地理学知识水平。连刘会孟《评山海经》这部本意似乎并非注释之作的书都有大量的地理说明文字，应该也是利用这些资料的结果。而吴任臣学问渊博，又专心于注释，自然利用更多，行文中直接引用《一统志》的地理资料大约三十处。引用更多的还是《水经注》，如《北山经》敦水，吴注云："任臣案，《水经注》敦水导源西北少咸之山南麓。东流迳三合县故城南。"又如婴侯之水，吴注云："任臣案，《水经注》滮水又会婴侯之水，北流注于氾水。……《一统志》曰：婴涧水，今在平遥县东三十里，即婴侯水也。"

明、清时代，利玛窦、艾儒略、南怀仁等欧洲传教士带来了欧洲人的自然科学知识，其中包括不少世界地理知识。如艾儒略的《职方外纪》、南怀仁的《坤舆图说》等。这些欧洲地理书籍对于中国学人有一定的震动。吴任臣思想比较开明，所以在《广注》中引用了这方面的资料。如《海外南经》周饶国，吴注云："《职方外纪》曰：'欧罗巴西海有小人国，高不二尺，跨鹿而行。鹳鸟尝欲食之。'"《海外东经》毛民之国，吴任臣注云："《职方外纪》南亚墨利加之南为智加人，遍体生毛。"《海外北经》一目国，吴注云："今亚细亚之西北，欧罗巴之东有一目国，见《两仪玄览图》。"尽管这些内容并非真实的地理知识，但是，它提供了进行比较神话学研究的资料。从总体上看，吴任臣只是采取为我所用的态度从欧洲地理书籍中选择一点材料，并没有接受其世界观。

吴任臣对于《山海经》山川地理的注释在数量上大大超过以往。而且，他的《读山海经语》还总结了研究《山海经》地理的若干原则：

读《山海经》者，须识道里有远近，曩今不同名。《西经》劳山非齐地，劳山入洛。弱水非合黎弱水，青邱国非南山青邱，儋耳民非交州儋耳，不周、昆仑有海内外之分，浮玉一山有江南、北之异。

吴强调道里远近，强调古今不同名，对于纠正一些望文生义的地名注释是非常有益处的。

他把经文中计算道里的方式总结为三种。其一是直接以首山开始数，其二是随地计程，其三是"诠次不伦"的情况。如大夏国、月支之国都是西北方的国家，却记录在《海内东经》。对于这些有问题的内容，吴任臣也主张不能臆断，"故为阙疑，以俟君子"，态度相当严谨。

他对山川道里和古今异名的重视，为未来的《山海经》地理研究打下了良好基础，并对汪绂、毕沅等人的相关研究发挥了影响。

3. 对比《禹贡》、《山海经》，重申"禹益书说"

通过全面了解《山海经》的地理真相，而古人眼中，全国地理又是和大禹分不开的，于是吴任臣就获得了重新思考"禹益书说"的基础。

此前，杨慎曾经对比过《禹贡》和九鼎内容（按照杨的观点，《山海经》由此而来）的关系，认为前者记"经而可守者"，后者记"奇而不法者"。刘维的《山海经策》对比《禹贡》、《山海经》，提出了一个新假说：

盖《禹贡》为地平天成、归告成功而作，是已成之书也。是故以冀、兖、青、徐、荆、扬、豫、梁、雍定州以上中下，错综定赋，其辞确。《山海经》为随山刊木创造经行而作，是未成之书也。故止以南、西、北、东、中定方隅，而州则未定。以海内外、大荒定梗概，以鸟兽草木金玉人物纪珍怪，而赋则未定，其辞详。……大抵君子道其常，达人观其变。语其正，则尽在《禹贡》；语其变，则概之《山经》。

刘维认为《山海经》是大禹治水过程中的未完成著作，而《禹贡》则是治水之后的著作。而陈一中《蛙萤子·论山海经》则认为："……《山海经》为《禹贡》剩文。"其说有异，但目的都是把《山海经》与最为神圣的《禹贡》相提并论。

　　吴任臣《读山海经语》主要对比《禹贡》、《山海经》的叙述次序，认为《禹贡》是出于山势而从西北开始导山；而伯益《山海经》则是根据所谓"形法家"（即堪舆）的地脉从南而转，确定以南山开始。《禹贡》以江、河为界，又各分南北；《山海经》则随地气右行之说，按南西北东中的次序。言下之意，《山海经》与《禹贡》是各有所用的。柴绍炳《山海经广注序》借用吴的观点称《山海经》"盖是《禹贡》之外篇，《职方》之附庸耳"。于是，《山海经》既能用来稽古，兼能用以格物。吴任臣自序引用各种先秦古籍与《山海经》存在一致内容为证，云："逖览旁通，鸿纤毕贯，则《山海经》实博物之权舆，异苑之嚆矢也。"

　　这些看法是对古老的"禹益书说"的发展，是对否定派的驳斥。吴云："先秦诸子，惟屈原最熟此经。……校雠家以《山海经》为秦汉人所作，即此可辨。"四库馆臣一面指责《山海经》地理内容百不一真，一面却收录如此肯定其地理内容的《山海经广注》，似乎有些自相矛盾。

　　吴任臣作为清代第一个《山海经》注家和研究家，在资料汇集方面下了很大功夫。郭璞注、杨慎注、王崇庆注、刘会孟注无不网罗，同时还搜集了大量涉及《山海经》的研究资料，内容十分丰富，甚至过于庞杂而遭受四库馆臣和毕沅批评。但是，这些对于后来研究者是非常有用的。另外，他重视考据的注解方式，以及对地理考释等方面的原则性意见也得到后代学者的赞成，奠定了清代《山海经》考据研究的基础。

（三）汪绂及其《山海经存》

汪绂（1692～1759），初名烜，字燦人，号双池、重生，江西婺源人。清代儒学思想家。青年时代，家境贫寒，母亲染病而亡，父亲飘荡不归，无以托身，只得到江西景德镇画瓷为生。根据余龙光《双池先生年谱》记载，汪绂二十四岁之后，开始在福建、安徽等地坐馆教读。一生不事举业，完全依靠著书立说、传道授业为生。

汪绂天资聪明，治学勤奋，故学问异常广博，著作宏富。有《易经诠义》、《书经诠义》、《诗经诠义》、《春秋集传》、《礼记章句》、《礼记或问》、《参〈读礼志疑〉》、《孝经章句或问》、《乐经律吕通解》、《乐经或问》、《读〈阴符经〉》、《读〈参同契〉》、《读〈近思录〉》、《读〈读书录〉》、《儒先晤语》、《山海经存》、《理学逢源》、《诗韵析》、《物诠》、《六礼或问》、《读〈困知记〉》、《读〈问学录〉》、《琴谱》、《医林纂要探源》、《戊笈谈兵》、《六壬数论》、《大风集》、《九宫阳宅》、《诗集》、《文集》等，总数超过二百卷。虽然学问如此汪洋恣肆，但是汪绂的思想核心是理学。根据《汪先生行状》记载，他曾经告诉弟子："自有知识以来，未尝辍书。然三十以前于经学犹或作或辍。三十以后，尽焚其杂著数百万言，而一于经。研经则参考众说，而一衷于朱子。"由于儒学成就巨大，汪绂死后被祔祀于紫阳书院。

汪绂的很多书稿生前未能刊行，去世之后由其主要传人余元遴（字秀书）刊刻其书，才使得其学渐渐为世所知。这部

《山海经存》的手稿大约不是其主要著作，长期保存在余元遴家未刊。一百多年后，余元遴的玄孙余家鼎与赵展如等共同募资，陆续刊刻了《山海经存》、《戊笈谈兵》等。其中《山海经存》刊行于光绪二十一年（1895），为石印本，由此才为世人所知。而当时正值清末乱世，学问一道乏人问津，《山海经存》也就几乎湮没于红尘狼烟之中了。杭州古籍书店1984年影印此本，流传渐广。

但是，原书各卷内部所分页码在影印时有残缺，难以使用；影印时也没有为全书统一加注新页码。本节所引《山海经存》，皆出此影印本。为简洁，只引其篇名，不注卷次和页码。

1. 《山海经存》的版本特征与写作时代

由于是后人所刊，汪绂《山海经存》刊本存在两个比较大的疑问。

其一，本书分卷方法比较奇特，九卷十八篇三十九部分。《五藏山经》各占一卷，共五卷。《海外四经》、《海内四经》分别为卷六、卷七。《大荒四经》为卷八。《海内经》为卷九。其实际内容与其他各本没有多大差异，其十八篇相当于今之十八卷。所谓"十八篇"不过是声称接近刘歆旧本而已。可是，汪绂为什么要把十八篇合并为九卷？他根据的底本是什么？不详。

其二，汪绂《山海经存》手稿在刊印前已经残缺。时曼成为《山海经存》所作《跋》云："考其（指汪绂手稿）图，较吴氏、郝氏本为尤详。顾缺六、七两卷，明经（指余家鼎）有遗憾焉。与其友查子圭（字美珂）绘以补之。"仅从这段文字看，《山海经存》手稿只是缺了六、七两卷的图画。其实，这

两卷的经文、注文都缺失了。《山海经存》刊本第六卷开篇"海外南经第六"以下有刊印者按语："谨案，汪氏原题九卷而阙卷之六、卷之七。案次分卷，当以《海外四经》为卷之六，《海内四经》为卷之七。今谨遵毕氏校正本补录经文及郭传，并节采毕说以便参考。更为补图于各经之后。"刊本第七卷开篇"海内南经第十"以下有注云："原阙今补。"很明显，六、七两卷经文、注文都是用毕沅《山海经新校正》代替的。那么，这两卷的原稿究竟是汪绂未完成，还是已经完成而在后来流传过程中遗失了？按照常理，汪绂既然把前后各卷都完成了，还把各卷合并，总题"九卷"，不太可能遗漏了六、七两卷。即使跳过这两卷不注，经文总应该存在。可是，《山海经存》刊本的经文、注文都采用毕沅本，可知此书手稿的六、七两卷是流传中丢失了。时曼成为什么只说缺失了六、七卷的图画？他作为保存手稿的余家鼎的朋友，写跋文对余家保存手稿一百多年赞美有加，因此无法明说手稿遗失了两卷，只能含糊其辞地说丢失了两卷的图画。

今《山海经存》刊本包含独立画面一百九十四幅。各图均为无背景之线描图画。由于各幅画面所画多种怪物、奇人、神灵往往集中在一个画面，而每幅画面所包含的怪物、奇人、神灵的数目从一个到五个，参差不齐。按照画面上独立存在的怪物、奇人、神灵统计（成对出现者，只计一次），《山海经存》一共画了四百三十二种事物。分别附在三十九部分之后。除去卷六、卷七他人补绘之图五十三种之外，汪绂实际手绘插图三百七十九种。由注释者亲自插图，他可能是第一位（郭璞注本的图是否是亲自绘制不能确知）。这和他早年在景德镇画瓷有直接关系。虽然有一些是参照前人插图所绘，但是，也有部分是他自己以意为之的，其中体现了他对经文的理解，因而具有一定的参考价值。

这部著作的成书时间不能确知。余龙光《双池先生年谱》把它定为写作时间不可考者。时曼成《山海经存·跋》推想此书当为汪绂的早期之作："……汪先生工绘事，贫，佣于江西景德镇画瓷。禀规矩，寡言笑。时方居丧，食蔬断肉，市侩群讪侮之。间为诗歌以见志，同人以为谤，不合而去。此殆当时所涉笔者欤？"这个推断所包含的理由只有两个。其一，作者当时正在画瓷，而书中颇多插图；其二，作者当时落落寡欢，孤独寂寞，可能借《山海经》而排遣郁闷。这些理由缺乏说服力。时曼成自己也是推测的口气，并不十分肯定。

我认为《山海经存》应该成于汪绂后期。理由有二。首先，按照《汪先生行状》的记载，汪绂"三十以后，尽焚其杂著数百万言，而一于经"。《清史稿·儒林传》称："绂自二十后，务博览，著书十余万言，三十后尽烧之。"既然《山海经存》书稿传下来了，自然是三十岁之后的著作，断不可能是二十四岁之前从事画瓷时候所写。其次，《山海经存》的注解，实际上参考了很多古今图书。而这恐怕不是一个穷困的画瓷工人所能具备的条件。因此，我觉得应该是他成名之后、教书之余而写作的。至于作者亲自操笔做画，为《山海经》做插图数百幅，大概也是当年积累的画技，正好用来消遣。

2. 以格物致知的立场看待神怪问题

《清史稿·儒林传》云：汪绂"……自《六经》，下逮乐律、天文、舆地、阵法、术数，无不究畅。而一以宋五子之学为归"。而刘师培《汪绂传》认为他兼治汉学、宋学，但归于宋学："双池先生明于心物二元之说，故物理、心理均窥其深，殆能守朱子之学者。"作为徽派名儒，汪绂治学一本于朱熹格物致知之说。他的《山海经》研究也是站在格物穷理的立场上展开的。为此，我们必须首先了解汪绂关于格物致知的思想，才能更好地理解他研究《山海经》的基本学术立场。

汪绂《理学逢源》卷一释"格致"之意云：

人之有生，与物同原。而人受天地之中，故吾心自备万物之理。有物则有事，而吾心自有通乎万事之知。但此心之知，是体统固然。而不从事事物物上印证过来，则无以尽知之量。……知孝弟者，吾心之灵也。不知所以孝弟，物有未格也。于是，于事物、日用、载籍、闻见间，日日讲求其所以事父事兄而尽孝尽弟之道，则格物以致知也。天下之物，莫不有理。

汪绂又云："有志格物，无物无理，随处目睹耳闻，手持足践，皆吾穷理之学，岂独经书？"在他看来，宇宙间万事万物都体现着规则和道理，即"有物有则"，即"无物无理"。格物，就是要探索事物包含的大道至理。致知就是把人类内心先天具备的万物之理逐一验证于外在事物。要实现全面的知识，认识万物之理，必须彻底研究一切事物。因此，任何事物都应该，也必须充当格物致知的对象，而不限于经书。儒家《六经》之外，乐律、天文、舆地、阵法、术数，甚至日常生活一切见闻、经历等，都可以用来探索天理。

于是，研究《山海经》之类的数术之学就不仅仅是聊备一格的博物之学的需要，更是探索天理，实现全面认知的需要，是理所当然。汪绂的论说，比过去治《山海经》的儒者以"君子博物"原则为自己辩护更加有力。这基本打破了传统儒学"子不语怪力乱神"原则对于研究《山海经》之类著作的限制。其书名《山海经存》透露出重新肯定《山海经》价值的意思。可以说，朱熹的"格物致知说"的确为汪绂突破"子不语怪力乱神"的戒律提供了助力。

在这种理论支持下，汪绂针对各种超自然内容提出了一种非常独特的解说。《易传》云："仰以观于天文，俯以察于地理，是故知幽明之故。原始反终，故知死生之说。精气为物，游魂为变，是故知鬼神之情状。"汪绂解释道：

幽明、死生、鬼神，夫人而知之者。而所以幽明之故，死生之说及鬼神之情状，则习焉而莫之察。非观察之深者，不足以与知之也。一阴一阳之谓道，继之者善，成之者性。显诸仁，藏诸用。生生之谓易，成象之谓乾，效法之谓坤，阴阳不测之谓神。以此仰观俯察，而幽明之故可知；原其始以反于终，而死生之说可知；一阴一阳送（当为"迭"）为屈伸聚散，而鬼神之情状可见矣。如是，则异说不足以摇之，知之至也。

　　按照他的说法，只要认真观察，深入思考，就可以明白幽明、死生和鬼神之道，任何异端邪说都不能使之动摇。

　　汪绂认为人们过分执著于神怪有无，是导致迷惑的原因：

　　学者于物怪、神奸，既惑而不能不信，然又不敢全信，故只得委之无穷，付之以不可知（引者按语：郭璞《注〈山海经〉序》正是这样做的）。然疑念既生，终被神怪牵惑，谓之不敢全信，已是深信之矣。故人贵穷理。穷理者，非穷此神怪有无之理，只是穷究自己身心性命之理。身心性命之理，果能真知其本源，则神怪自不足惑。若乡（向）神怪穷究其有无，则终身只是惑也。

　　他认为一味探求神怪存在与否的问题，只能使人永远迷惑。为了摆脱这种困境，汪绂主张：神怪存在与否是一个次要问题，真正重要的是探索宇宙万物本身所隐含的，同时也存在于人类内心的"身心性命之理"。弄清了这个根本道理，回头再看神怪，神怪就不足以使人疑惑了。

　　既然神怪有无的问题成为次要问题，那么，汪绂在处理《山海经》各种神怪的时候所面临的压力就一下子减轻了。他声称："物怪神奸，不必尽无。但性命之原可知，则有之亦不足骇。顾好异者从而张皇之，则惑人愈甚。"因此，汪绂处理《山海经》各种怪物的时候，没有什么禁忌。

　　第一，推定《山海经》部分神怪是读者误解经文造成的。

　　《南次二经》柜山有怪鸟："其状如鸱而人手……其名曰鹗。"汪绂注云："人手，谓其足如人之手也。"《海内经》记述远方奇异国民："有钉灵之国，其民从膝以下有毛，马蹄善走。"汪绂注："其人多毛，以皮为足衣，如马蹄而便走，即后世之靴是矣。非真马蹄也。"《西次三经》云："……钟山，其子曰鼓。其状如人面而龙身。"郭璞注："此亦神名，名之为钟山之子耳。其类皆见《归藏·启筮》。《启筮》曰：'丽山之子，青羽人面马身。'亦似此状也。"汪绂不同意鼓是神，其注云："盖钟氏之君之子也。曰如人面而龙身者，盖其身体手足夭矫，有似于龙耳。"经过汪绂的合理化解说，上述怪鸟、奇人和神灵都成了正常的事物。

《海内经》云："洪水滔天。鲧窃帝之息壤以堙洪水，不待帝命。帝命祝融杀鲧于羽郊。"郭璞注云："息壤者，言土自长息无限，故可以塞洪水也。《开筮》曰：'滔滔洪水，无所止极。伯鲧乃以息石息壤以填洪水。"郭注得到学界普遍认同。但是，汪绂反对郭注："息，生也。言废生物之土地，以塞洪水，所谓'汩陈五行，绩用弗成'也。不待帝命，所谓'方命圮族'也。旧说迂怪不通。"他把超自然的息壤解释为现实的田土，于是鲧的神话就变成符合《尚书·洪范》和《尚书·尧典》记录的鲧的历史传说了。

在汪绂眼里，《山海经》的部分神怪是读者错误理解经文造成的。那么，俗儒责怪《山海经》"语怪"的理由就被他部分地消解了。

第二，推定一些神怪为作者夸张乃至于虚构的荒谈，同时肯定荒谈具有独立价值。

《大荒东经》云："有波谷山者，有大人之国。"这是流传

很广的巨人传说，自古以来屡屡出现于各种典籍。有些记载比较写实，有些则极度夸张。例如，汪绂注引《河图玉版》云："从昆仑以北九万里，得龙伯国人，长二十丈，生万八千岁乃死。从昆仑以东，得大秦人，长十丈，皆衣帛。从此以东十万里，得中秦国人，长一丈。"汪绂云："案西域有大秦国，然无所谓长十丈人者。地毬（即地球）不过九万里，又乌所谓数十万里者耶？"他依据史料和西学地球知识，判定《河图玉版》关于大秦人长十丈为虚构。于是，所谓龙伯国人长二十丈也就不攻自破了。《大荒东经》又云："有小人国，名靖人。"这是大人国的反面。汪绂注云："《含神雾》云：'中州以南四十万里得僬侥国人，长一尺五寸。东北有人长九寸。'……案：国朝闽提督某得二僬侥人，畜之槛中，长尺许，食以果实。然其头大身小，殊类猿猴耳。以为有技巧、谷食，殆未然也。"他用现实中的所谓"僬侥人"没有技能，不吃五谷，只吃果实而推断它们类似于猿猴，不是真正的人类。进而推定历史上的很多小人国故事都是虚构。他总结道："《外传》云：'僬侥人长三尺，短之至也。长者（指大人国之类）不过十丈，数之极也。'斯言近之，其余皆荒谈也。"

　　判定为荒谈，并不意味着完全否定，这是汪绂跟一般儒生不同之处。《大荒东经》云："汤谷上有扶木，一日方至，一日方出，皆载于乌。"汪注云："荒谈，甚无稽！却甚有趣！"所谓"甚无稽"，是根据事实进行的科学判断。所谓"甚有趣"则是基于审美情感而做出的判断。这种观念实际上承认荒怪之谈具有不依赖于道德的独立价值——一种审美意义的价值。在此基础上，汪绂一面判断鶛、钉灵国民的形状是读者误解，大人国、小人国是作者虚构，另一面却在自己的插图中依然按照他所批判的神怪模样作画。

表面上看，汪绂的做法自相矛盾。实际上，他的解说代表着理性判断；而其图画则代表着情感愉悦。这是两个完全不同的领域，本来就不需要强求一致。汪绂对神怪的美学价值的肯定，具有极其重要的理论意义，即使当代学人也未必都能正确对待神怪问题。

第三，肯定神怪存在的理由与道德价值。

正统的儒家并不笼统地反对超自然事物，对符合道德规范的超自然事物，称之为"天地正神"，并加以肯定。这就是所谓的以神道设教。他们只是排斥有悖道德的其他超自然事物，并贬称之为"怪力乱神"，为"物怪、神奸"。汪绂在排斥了他眼里的虚构神怪之后，对其余鬼神的存在进行了肯定，即便这些神怪被夸张地描述过。例如，《大荒东经》有无角独足怪牛夔，"黄帝得之，以其皮为鼓。橛以雷兽之骨。声闻五百里，以威天下。"汪绂注云："雷兽，即雷泽中神也。《孔子家语》云：'山木之怪、夔石之怪。'后人所谓'山中木客'、'独脚山魈'、'独脚公'、'铁鬼使'，皆此类也。此特夸张其神耳。"对于经文所说的用雷兽骨敲夔皮鼓，声闻五百里，汪绂认为过于夸张了。同时，他又判断雷兽就是雷泽之神，而夔也和后代记录的"山中木客"、"独脚山魈"等属于同类——肯定了它们的存在。

汪绂肯定神怪，跟传统儒家以神道设教思想基本是一致的。

其《参〈读礼志疑〉》云："然愚谓：'神之格思，不可度思，矧可射思！'塞满天地，固无非鬼神。……天地间物，有其妙用，则有其神焉。赖其利用，则报以祀焉。"在汪绂看来，天地鬼神是普遍存在的。只要物有所用，就有神。仰赖于这些事物有利于满足人类需要，所以，人类就要用祭祀来报答其中的神灵。这样，作者不但为神的存在提供了理由，也为人类信仰神灵提供了道德依据。

汪绂《参〈读礼志疑〉》又云：

天地鬼神，莫非实理。一阴一阳之谓道，天地以二气生人、生物，而此理即寓其中。故形气魂魄之身灵妙无端，而仁孝慈爱恭敬之良，亦动于中而不能自已。随感而发，各有当然之则。是则天道之至教也，圣人修道之教，修此而已。

按照汪绂的说法，天地鬼神都是包含实在道理的。阴阳二气造物、生人之时，道理就化人其中——天地人神包含同样的道理。所以，具有形气魂魄的身体无比奇妙，道德良心自然生发。这就是天道的最高教化。圣人掌握了这个道理，就可以按照天道教化百姓了。汪绂依照阴阳哲学从天地人神之中"格"出共通的天道，从而消解了神怪的非道德、非理性特征。有了这样的理论根底，神怪不但不构成对儒家思想的威胁，反而是一种助力。这就是汪绂敢于突破"子不语怪力乱神"原则的根本原因。

汪绂作为儒学思想家从审美和道德两个方面肯定了有关神

怪的超自然叙事，对于《山海经》的研究作出了独特的贡献。

3.《山海经存》在文字训诂方面的成就与缺陷

汪绂在训诂方面的学术风格接近于宋儒，常常以己意解经，创见颇多，但是也难免有臆断之处。不过生当康乾之世，考据学日渐风行，相对于宋明两代的注家而言，汪绂还是比较注重证据的。因此，《山海经存》在训诂方面大致介乎宋明旧学与乾嘉新学之间。

秉承宋儒以意解经的传统，汪绂在注解《山海经》时通常都是直接解说，很少说明证据出处。这种注释体例是不够严谨的。他在引用前人观点（例如郭璞注、杨慎注）的时候，一般也不加说明。我们需要比对前人观点，才能判断哪些部分是他自己的见解。他的这些做法可能跟当时考据学的规范还不完善有关。后来的毕沅、郝懿行都是先出郭璞注，然后自己加按语；引文出处也——注明。当然，汪绂这种做法容易犯错误，但是并不影响他对《山海经》文字的部分解说的正确。例如，《西次四经》有："……刚山，多柒木。"郭璞未注，汪注云："柒即漆字。"毕沅注："当为桼。"桼是古漆字，似乎比汪注更严谨，但是求之过深，反而失当。《西次四经》云："……英鞮之山、上多漆木……"《北次三经》云："……京山，有美玉，多漆木……。"这两个例证说明，《山海经》的"漆木"，不必写成"桼木"。毕沅之注好古太过。"柒"和"漆"是相通的。《广韵》则说"柒"是"漆"的俗字。所以，汪注是正确的，并被学界普遍接受。又如，《北次三经》云："又西四百里，曰乾山，无草木，其阳有金、玉，其阴有铁而无水。"汪注："据

1426

此，则乾当音干。"汪绂根据此山没有河流而排除了"乾"字的另外一个读音。袁珂《山海经校注》和张步天《山海经解》都采用了汪注。

汪绂对待神怪的思想比较开明，相关注解往往能够接近事实。例如，《中次三经》云："南望墠渚，禹父之所化。"郭璞曾经用玄学理论加以解释，见本书第三章第四节。郭注虽然可以启发我们认识神话思维的特点，但是，作为训诂，毕竟不符合科学原则，与事实也有很大距离。而汪绂注云："《左传》言，鲧化黄熊，入于羽渊。而又云在此，世之随处而附会以为古迹者类似此也。"把鲧神话异文中化身的两个地方解释为不同地区人们的附会。汪绂此注是符合历史事实的。

渊博的礼学功底，使得汪绂对《山海经》的山川祭祀之礼有十分翔实的解释。他初步意识到《山海经》时代存在山岳等级制度。例如《西山首经》末尾有"华山，冢也。其祠之礼太牢。"郭注云："冢者，神鬼之所舍也。"郭可能是从冢为坟墓之大者推论它是神鬼停留之处，根据不足。其他山都有山神居住，都享受祭祀，为什么绝大多数不称冢？汪绂注云："冢，犹冢宰、冢子之冢。言以华山为宗也。"冢宰是周代官名，六卿之首。冢子是长子。华山称冢，是强调其地位之高。另外，《中次五经》云："升山，冢也，其祠礼：太牢，婴用吉玉。"汪注云："以升山为尊。"华山、升山被称为冢，都享受太牢，代表着它们在山岳等级制度中地位的崇高。这是汪绂的一个重要发现。不过，对山岳等级制度中被称为"帝"和"神"的两个等级，汪绂依然沿用郭注，可见他对《山海经》山岳等级制度的认识还是初步的。后来的郝懿行、俞樾将在这方面有更大进展。

《五藏山经》各位山神的形状稀奇古怪，大体是采用人、鸟、兽、龙四者的不同部分进行两两组合的结果。汪绂认为祭祀仪式上代表山神的尸要打扮成这种形状。《南山首经》十位山神，"其神状皆鸟身而龙首"。汪注云："其神之状，盖祭山之尸为此状。如《周礼·方相氏》'蒙熊皮，黄金四目，执戈扬盾'，及蔡邕谓'祭蜡迎猫者，为猫尸；迎虎者，为虎尸'之类是也。"上古祭祀，由祭者装扮成神灵接受祭品，这个代表神灵的人就是"尸"。因此，要举行祭祀山神的仪式，就必须详细了解该山神的形象，这样尸才能准确地扮演山神。由此，我们可以理解为什么《五藏山经》共 26 条山系，其中 19 条都描述了该山系诸山神之形状。而《西山首经》、《西次四经》、《东次四经》、《中山首经》、《中次三经》、《中次五经》、《中次六经》等 7 条山系未言山神形状，当有脱文。后来祭祀礼仪不断演化，直接用文字牌位来代表神灵，尸就被取消了。因此，后世人也很难理解为什么《山海经》要详细描写山神的形状。汪绂注给我们很大的启发。

基于对古代祭祀山岳之礼的全面把握，汪绂能从《山海经》经文十分细微的地方发现某些重大问题。例如他判断此书为东周之作就是从《中次六经》"岳在其中"推论出来的。详见下文。

但是，以意解经，或者单单凭借细读文本进行训诂是很容易出错的，博学如汪绂者也不例外。《西山首经》云："华山，

冢也。其祠之礼，太牢。羭，山神也。"汪绂《山海经存》注云："言其山之神，羭为羊属。"把羭解释为华山之神，汪绂断句有误。也完全不符合《五藏山经》所有山神形象的惯例——均为人、鸟、兽、龙四者之间的两两组合。其实，羭山，应该是该经所叙述之"羭次之山"，汪绂失于校勘。

他有时候会把正确的郭璞注给弄错。例如，《西山经》有"又西二百五十里，日騩山，是錞于西海，无草木，多玉。"郭璞注："錞犹隄埻也。音章闰反。"隄埻，就是堤坝。郝懿行进一步解释郭璞注云："盖埤障之义。"其实，郭璞注用的是其引申义，即界限，边界之意。騩山錞于西海，意思是騩山是西海的边界。但是，汪绂却认为："錞犹蹲也。"他把"錞"释为蹲踞、坐落之意。表面看，汪注似乎更贴切一些。因此，袁珂极力赞同："汪说于义近之，錞盖蹲字假音也。""錞"字又见于《北次二经》"敦题之山……是錞于北海"，袁又引汪注以释之，以为"尤洽"。可是，汪绂此说没有依据。首先，錞，通"准"。《新书·孽产子》有："夫錞此而有安上者，殊未有也。"清孙诒让《札迻》云："錞，当读为准。《说文·土部》云：'埻，射臬也。读若准。'是錞、埻、准三字声近字通。"由此可见，袁珂说錞是蹲字的通假，释音有误。郭璞注是正确的。而汪绂解释所用的"蹲"字在上古音为文部从纽平声，跟錞无关，完全是他根据下文进行的推测。其次，即使上述两处汪注勉强能读通，但是却无法解释《中次七经》"婴梁之山，上多苍玉，錞于玄石"。苍玉如何"蹲"在玄石之上？袁珂云："錞，汪绂释为蹲，引申固亦有依附之义也。"这个引申义实在讲不通。可惜，郭璞也未能贯彻他对錞字的正确解释，把这里的錞解释为："言苍玉依黑石而生也。"语意虽通，但是依然是无根之谈。其实，这个錞字仍然通"准"，意思是婴梁之山的苍玉，跟玄石十分接近。

4. 汪绂在《山海经》地理研究方面的贡献

汪绂不是一个单纯求学的学者，他治学非常强调实用。刘师培《南北学派不同论·南北考证学不同论》云："婺源汪绂，兼治汉学、宋学，又作《物诠》一书，善于即物穷理，故士学益趋于实用。"其《医林纂要探源》、《戊笈谈兵》分别研究医学、兵学就是明证。

其中完成于康熙五十八年（1719）的《戊笈谈兵》集中展现了作者在天文、地理、军事、儒学、数术等方面的造诣。其第四卷《宇内舆图》搜罗了历代全国地图和分区地图数十幅，他甚至还搜罗了一些外国地图，包括两幅西方最新传入的世界地图（分为东西两半球）。其第五卷《形势沿革》纵论天下地理大势、历代建都沿革和疆域变化，可见作者对于全国历史地理、当代地理熟稔于心。

如此深厚的地理学、历史地理学知识积累，为汪绂研究《山海经》的地理内容打下了良好基础。

由于古今山水名称变迁，很难把《山海经》中的山水一一落实。现代历史地理学家们也只能根据仅有的若干可靠山水按照方向、距离推论其他各山。可是，《山海经》记录的方向、里距往往不可靠，因此，探索《山海经》地理是极其困难的，以至于现代历史地理学家之间往往为判定各山位置争论不休。

所以，要全面判断汪绂《山海经存》的历史地理学贡献完全超出我的能力。这里只能例举汪绂在这方面的若干成功之处。

《西次三经》云："又西北三百七十里，日不周之山。……临彼岳崇之山，东望泑泽，河水所潜也，其源浑浑泡泡。"郭璞注泑泽为蒲昌海，即今日新疆之罗布泊。那么不周山也就位于新疆了。但是，汪绂注云："……此不周山，当在张掖、酒泉间，尚在玉门之内。其泑泽未是蒲昌海也。西宁之西自有青海。然谓河水所潜，亦误。此书荒远错乱，不可尽据也。"现代历史地理学家谭其骧认为郭注有误，不周山应该在甘肃天祝县之毛毛山。汪绂注大致正确。《中次八经》云："又东五十里曰衡山。"汪绂注云："此当是颖州之霍山。一名天柱山。汉尝祀以为南岳。若湖南衡州之衡山南岳则不在中山之南列矣。然天柱山去光山已不远，此乃相悬千里。此书道里之远近多难据也。"现代历史地理学家张步天《山海经解》也判定此山为霍山。

尽管汪绂对《山海经》一些具体山水的判断有错误，但是，他对《五藏山经》大致地域范围的判断是正确的。例如，他在《南山经第一》之下注："所载大概皆南海以北，大江以南之山川。"与谭其骧的结论"（《南山经》地域范围）包括今浙闽赣粤湘五省地，不包括广西、贵州、云南等省，也不包括广东西南部高、雷一带和海南岛"基本一致。汪绂在《西次二经》开篇注云："《西山经》之首，皆渭南之山。此第二经则渭北之山也。"谭其骧认为《南山首经》"……相当今陕西渭水南岸华山和秦岭山脉诸山"。双方再次取得一致。汪绂总结《西山经》云：“此三经之山大略在金城以西，张掖、酒泉、墩煌以极于回纥、土番（蕃）之境之山也。”也与谭其骧的结论基本一致。

当代历史地理学家张步天对汪绂注《山海经》的地理学成就极表肯定，其《山海经解》（上、下）即以《山海经存》为底本，大量引用汪绂的注解。

5. 否定“大禹书说”，推论《山海经》作于东周

古代学者多把《山海经》作者归为大禹，或其部下益。汪绂透过经文分析，否定了这一观点。

《五藏山经》结尾：“禹曰：天下名山，经五千三百七十山，六万四千五十六里，居地也。……封于太山，禅于梁父，七十二家。得失之数，皆在此内，是谓国用。”汪绂注云：“言古之封禅者七十二君也。《管子》亦云然然。……此必非禹之言也。”根据古史传说，大禹之前无论如何也没有七十二位君主举行过封禅。此段话语当然不可能出自大禹。

汪绂熟知古代祭祀山岳之礼。上古时代，天子望祭天下名山大川。所谓“望祭”，就是遥望而祭。《尚书·舜典》云：“望于山川，遍于群神。”孔传：“九州名山大川、五岳、四渎之属，皆一时望祭之。”《礼记·王制》云：“天子祭天下名山大川……诸侯祭名山大川之在其地者。”而《中次六经》云：“凡缟羝山之首，自平逢之山至于阳华之山，凡十四山，七百九十里。岳在其中，以六月祭之，如诸岳之祠法，则天下安宁。”汪绂注云：“此条无中岳，而曰‘岳在其中’，盖以洛阳居天下之中，王者于此以时望祭四岳，以其非岳而祭四岳，故

曰岳在其中；此殆东周时之书矣。"汪绂这个判断可以为现代那些强调《五藏山经》描述洛阳附近各山最为详实从而判定全书作于东周的学者提供一个新证据。

汪绂《山海经存》的成就是多方面的。可惜，作者生不逢时，《山海经存》出版太晚，毕沅、郝懿行等名家都未能见到。其人其书未能在古代《山海经》学术史上发挥应有影响。

（四）毕沅《山海经新校正》的地理学阐释

毕沅（1730—1798），字纕蘅，一字秋帆。年轻时曾问学于惠栋、沈德潜等名家。乾隆二十五年（1760）进士一甲第一名，历任陕西巡抚、陕甘总督、湖广总督等。从政之余，坚持读书治学，经史、小学、金石、地理，无所不通。又广交学人，钱大昕、邵晋涵、章学减、洪亮吉、孙星衍等先后出入其幕下。著作有《山海经新校正》、《吕氏春秋新校正》等。

毕沅《山海经新校正序》落款时间为乾隆四十六年（1781）。其文云："沅不敏，役于官事，校注此书，凡阅五年……。"由此推定，毕沅于乾隆四十一年开始校注此书，其间由于公务繁忙，全书写作历时五年，最终完成于乾隆四十六年。《山海经新校正》（以下简称《新校正》），有多种版本，有浙江书局本、二十二子本、学库山房本等。学库山房本有插图一百四十四图。上海古籍出版社据浙江书局本影印的郭璞注、毕沅校《山海经》比较常见。

1. 《山海经新校正》是他人代笔吗？

关于此书作者，一般认为是毕沅。但是，刘师培在《清儒得失论》中明指毕沅、阮元"均以儒生秉节钺……从政之余，兼事掇拾、校勘之学……吴越之民争应其求，冀分笔札之资以自润。既为他人著述，故考核亦不甚精"，并说毕沅门下代笔者有汪中、孙星衍、洪亮吉等。刘师培认为是孙星衍（1753—1818）为毕沅写的《山海经新校正》："星衍杂治诸子，精于校勘（曾刊刻《孙子》、《吴子》、《司马法》、《六韬》、《穆天子传》、《抱朴子》诸书，又为毕沅校《墨子》、《吕氏春秋》、《山海经》，明于古训，解释多精）。"刘师培的这一说法没有详细论证，未知其根据所在。

《新校正》的作者是孙星衍吗？当时，毕沅担任陕西巡抚，开府西安。年轻的孙星衍是毕沅的幕僚。孙星衍于乾隆四十八年（1783）做《山海经新校正后序》的地点就是毕沅陕西节院的长欢书屋。他对《山海经》也非常熟悉，又长于训诂之学。按照清代有些附庸风雅的达官贵人喜欢让幕僚为自己代为著作的习惯，孙似乎有为毕沅做此书的可能。

但是，孙星衍本人明确肯定了作者是毕沅，而不是自己。其《山海经新校正后序》开篇即言："秋帆先生作《山海经新校正》。"其后行文之间，对此书夸赞有加，迹近阿谀："其《五藏山经》，郭璞、道元不能远引。今辅其识者，奚啻十五？恐博物君子无以加诸。"又云自己计划为《山海经》做地理图注，因无暇而罢。自己的《山海经音义》二卷也因见到毕沅之书而焚烧。假如《新校正》是孙星衍代毕沅做，那么上述表示就是故意欺骗，同时兼自我吹捧。另外，代笔之作，主客双方讳莫如深，避之犹恐未及，而这篇《后序》竟然反复申说，很

不合情理。

作为"当事"另一方的毕沅，明确说《新校正》是自作。全书行文格式，每段经文之后，首引郭璞注，其后为自注。而自己的注文都写明"沅曰"。如果全书是孙氏代笔，而序言为毕沅自做，那么毕沅的上述做法就是蓄意欺诈，实在跟风雅无关——代笔而不明言自作，尚可附庸风雅。假如连这篇《序言》都是代笔，是不是造假太甚，画蛇添足了？

基于以上理由，我以为刘师培的"代笔之说"可能是耳食之言，不足凭信。

目前《山海经》学界普遍认为《新校正》为毕沅所作。

又及：和《山海经新校正》一起被刘师培归于孙星衍名下的《吕氏春秋新校正》，目前学界依然认为是毕沅所作。

2. 篇目考证与文字校注

《山海经》是逐步成书的，古今篇目变化较大。毕沅最早系统地考证《山海经》的篇目问题，开辟之功，学界颇有好评，影响深远。本书在刘歆部分、郭璞部分已经详论，此不复赘言。需要特别提出来的是，毕沅当初毕竟只是提出问题，并假设了解决方法。例如，他注意到刘歆校定本十八篇和《汉书·艺文志》著录之十三篇本有矛盾，于是假设全面负责整理中秘书的刘向校定了十三篇本。毕沅的这个假设，当然很有启发性。但是，今天看来证据不足。有些现代学者把毕沅的假设当做事实来用，提到十三篇本就说是刘向整理的。这是不够谨慎的。

毕沅《新校正》的第二项工作是校正经文。由于《山海经》性质的特殊，传世本一直没有经过很好的校正。包括现存最早的尤袤刻本，其中误字比比皆是。毕沅用当时所见古本作为底本，参校时代较早的明代正统年间道藏本和其他本子，以及他书引文，历时五年，完成了对于经文的校正。

由于古本为三十二篇，而刘歆校为十八篇，所以毕沅认为十八卷卷名皆刘歆所题。毕沅认为经文中有后代混入的话。如《西次首经》末尾"烛者，百草之未灰，白席采等纯之"，毕校云："此亦周秦人释语，旧本乱如经文。今别行。"《中山经》末尾"此天地之所分壤树谷也"等五十二字也被毕沅视为周秦人释语。《海外南经》"一曰南山在结匈东南"。毕校云："凡一曰云云者，是刘秀校此经时附著所见他本异文也。旧乱入经文。当由郭注此经时升为大字。今率细书而以郭传分注。"对此，孙星衍《后序》非常赞同，认为："可与戴校《水经》并行不倍。"毕沅最重要的校正是指出：《海内东经》最后自"岷三江首"以下，均为误入的郭璞注《水经》。此段文字完全写水，与《海经》惯例不合，毕说正确。

对于文字讹误，毕沅校正了不少。如，《海内南经》有"伯虑国……一曰相虑"，毕沅校云："相字当为柏。伯虑，一作柏虑也。"这是根据上下文意推理而得。又如，《西次二经》龙首之山有"苕水"，毕沅校正云："苕当为芮。形相近，字之误也。《周书·职方解》云：'雍州，其川泾纳。'《周礼》作芮。今芮水出陕西陇州西北七十里龙门洞，俗称黑水河，北流入甘肃华亭县界。《初学记》引此作若。若、纳、芮三字声亦相近。"袁珂同意此校。像这种情况复杂的，就必须参考典籍

来校订。再如，《南山经》基山有鸟，"其状如鸡而三首、六目、六足、三翼，其名曰会鹒鸺"。郭注："鹒鸺，急性。敞孚二音。"旧本经文"鹒"作"鹒"，郭注"鹒孚"作"敞孚"。道藏本作"尚付"、"敞孚"。毕沅根据《广雅》、《玉篇》所云鹒鸺鸟的形状、名字发音而改正。后来郝懿行同意毕说，袁珂引《太平御览》卷五十引文正作鹒鸺，证明毕沅之校是正确的。而《中次五经》苟床之山上的"馱鸟……食之已垫"。郭注"垫"云："未闻。"毕沅校认为，虽然《玉篇》引此作"亡热"，但是，因为郭注"未闻"，说明当时古本已作"已垫"。《玉篇》引文不一定正确。毕沅在"亡热"的启发下，深入追究："《九经字样》云：'霜，音店，寒也。《传》曰：'霜隘。'今经典相承作垫，则垫又痁字假音。"那么，经文"已垫"实际应该是"已痁"，但是，他没有注意到《九经字样》引《说文》有误，则是一个小失误。

毕沅有些校正不准确。如《南山经》"糈用稌米"，郭璞注云："糈，祀神之米名。"《说文》只是说："糈，粮也。"郭璞可能是根据王逸注解《离骚》所云："糈，精米，所以享神。"毕沅却认为经文有误："糈当为糈。《说文》云：'糈，祭具也。'郭说非。"《山海经》各本俱作"糈"，郭注有根据，毕校恐不妥当。

毕沅对《山海经》文字的注解有不少进展。如《海外南经》谨头国，一曰谨朱国。毕注云："朱、头，声相近。古假音字。"我们根据现代音韵学的研究成果，朱，侯部章纽平声。头，侯部定纽平声。二字韵部同，而章纽、定纽均为舌音，发

音部位接近。由此可知，毕说是正确的。

清代文字音韵学有较大发展，毕沅利用其中关于古今音转的理论解决了一些文字问题。比如，《西次三经》之首崇吾之山有兽，"其状如禺而文臂，豹虎而善投，名曰举父"。郭注云："或作夸父。"毕沅注"善投"云："谓攫人也。投字以殳为声，攫字以矍为声，皆相似。举父之名亦以此。"又注"举父"云："即《尔雅》玃父也。郭云或作夸父。《尔雅》寓属云：'玃父善顾。'《说文》云：'玃，母猴也。攫，持人也。'玃、举、夸，三音相近。郭注二书不知，不知是一。盖不知音转耳。"今查《上古音手册》，矍在铎部见纽，玃谐音矍，当同。举在鱼部见纽，夸在鱼部溪纽。铎部、鱼部相近，章炳麟甚至直接合并二部为一个鱼部。而见纽、溪纽也相近。所以，玃、举、夸三字的确相近。毕沅纠正了郭注的错误。

但是，毕沅运用音转理论也有过分随意之处，很多地方使用"一声之转"来解释。比如，《南山经》洵水有芘蠃。郭注云："紫色螺也。"毕注云："芘蠃，即《夏小正》云蜃者，蒲卢也。芘蠃、蒲卢，音相转。"蒲卢，古代也有写作蒲芦、蒲蠃的。芘是脂部帮纽字，蒲是鱼部并纽字，仅仅声纽相近。蠃属歌部来纽，卢属鱼部来纽，声纽全同，但韵部不同。所以，毕注以为芘蠃、蒲卢之间存在音转，是过分大胆了。而且，即使可以音转，但是蜃是蛤属，芘蠃是螺，差异巨大。毕注欠妥。后来，郝懿行通过校订经文，纠正了这个错误。

3. 毕沅注的历史地理学成就

毕沅学问渊博，其《新校正》参阅了大量古今地理志。其

中主要依据《水经注》，兼及九经笺注、史家地志、《元和郡县志》、《太平寰宇记》、《通典》、《通考》、《通志》及近世方志。同时，毕沅身为陕西巡抚，陕甘总督，又经历过西北地区战争，十分熟悉西北山川，所以常常使用亲身经历加以验证。孙星衍《山海经新校正后序》云："先生（指毕沅）开府陕西，假节甘肃。粤自崤涵以西，玉门以外，无不亲历。又尝勤民，洒通水利，是以《西山经》四篇、《中次五经》诸篇疏证水道为独详焉。"由于以上两个方面的原因。毕沅注解《山海经》最大的贡献在于缕清了其中许多地理学问题，这就是他所做的第三项工作——"考山名水道"。

毕沅考订《山海经》地理，是从全经总体把握的。所以，他特别注重各山川的方位道里，即相互位置，并不仅仅以地名相同为证。他对于郭璞注在这方面的错误是严厉批判的：

今观其注释山水，不按道里，其有名同实异。即云某地有某山，未知此是非。又《中山经》有牛首之山及劳、漓二水，在今山西浮山县境，而妄引长安牛首山及劳、漓二水。霍山近牛首，则在乎阳，而妄引潜及罗江、观县之山。其疏类是。

对于郦道元《水经注》的错误也有纠正。《中次七经》有："鼓钟之山，帝台之所以觞百神也。"郭注云："举觞燕会则于此山，因名为鼓钟也。"其下郭注有佚文九字，毕沅《新校正》根据《初学记》引文补云："今按：其山在伊阙西南。"可是，郦道元《水经注》云鼓钟山在山西：

《山海经》云："孟门东南有平山，水出于其上，潜于其下。"又是王屋之次，疑即平山（在山西临汾县西）也。其水南流，历鼓钟上峡……南流历鼓钟川，分为二涧。一涧……今无复有水。一水历冶官西，世人谓之鼓钟城。城之左右，犹有遗铜及铜钱也……《山海经》曰：'鼓钟之山，帝台之所以觞百神。'即是山也。

毕沅以为：郦道元所云之山——山西垣曲县鼓钟山与道里不合，应该是《中次一经》的鼓镫之山。锺与镫，形近、音近而讹变。而且，该山有冶炼遗迹，正好证实"古者冶铜于此。《（山海）经》言'多赤铜'，信也"。而鼓钟之山是河南陆浑县西南三十里之钟山，与郭注佚文相合。这样，才能和《中次七经》鼓钟之山前面的休与之山道里一致。按照经文，休与之山在河南灵宝县，东三百里是鼓钟之山，不可能在山西。毕沅的地理考证是符合吴任臣提出的地理考证原则的。

其地理考证总结见于《新校正自序》：

《南山经》其山可考者，惟龟山、句余、浮玉、会稽诸山。其地汉时为蛮中，故其他书传多失其迹也。《西山经》其山率多可考。其水有河、有渭、有汉、有洛、有泾、有符禺、有灌、有竹……皆雍、梁二州之水，见于经传。其川流沿注，至今质明可信也。《北山经》皆在塞外，古之荒服。经传亦失其迹。而有渤泽及河原可信。《北次三经》以下，其山亦多可考。其

水有汾、有酸、有晋……皆冀州之水，见于经传。其川流沿注，又至今质明可信者也。《东山经》其山水多不可考，而有泰山、有空桑之山、有泺水、有环水，是为青州之地也。《中山经》起薄山，是禹所都，故其山水之名尤著。水有渠猪、有涝、有涌……是皆豫州之水。《中次八经》起景山，有睢、有漳、有浼。《中次九经》有緜洛之洛、有泯江、南江、北江………是皆荆州之水，见于经传。其川流沿注。又至今质明可信者也。

正因为确证了《山海经》所记地理的真实性，而大禹又是古史传说中"定高山大川"的圣人，所以，毕沅《山海经新校正序》重申："《山海经》作于，禹益。"

毕沅论证《山海经》为禹益之书的证据还有一条，那就是《五藏山经》的祭山礼仪。《南山经》之末云："凡䧿山之首，自招摇之山，以至箕尾之山，凡十山。二千九百五十里。其神状皆鸟身而龙首。其祠之礼……"毕沅注："《夏书》云：'奠高山大川。'又云：'九山刊旅。'又云：'荆岐既旅。'又云：'蔡蒙旅平。'《孔丛子》云：'子张问：《书》云奠高山，何谓也？孔子曰：牲币之物，五岳视三公，小名山视子、男。'盖奠山之礼具乎此经。是真禹益之书也。"其《山海经新校正序》又云："孔子告子张，以为'牲币之物，五岳视三公，小名山视子、男。'按此经云，凡某山至某山，其祠之礼，何用何瘗，糈用何，是其礼也。"

不过，考虑到《山经》和《海经》的差别，毕沅的"禹益书说"把《海经》排除了。他认为："《五藏山经》三十四③

篇，实是禹书。”《海外经》四篇、《海内经》四篇，是周秦人所述禹鼎图的内容，鼎亡于秦，而人们所说著于册，即之。《大荒经》以下五篇是刘歆解释《海外经》四篇、《海内经》四篇的产物。

其实，地理记录的准确、全面，以及祭山仪式的古老，都不能直接证明《山海经》是大禹和益的作品。毕沅判定《山经》为禹书的直接根据是："《列子》引夏革云，吕不韦引《伊尹书》云，多出此经。二书皆先秦人著。夏革、伊尹又皆商人，是故，知此三十四篇为禹书无疑也。"

伊尹之事，年代过于久远，难以征实；而《列子》则已经被证明是六朝伪书。所以，尽管毕沅对自己的"禹益书说"言之凿凿，仍难以为今人接受。

4. 对《山海经》图的考证

毕沅认为《海外四经》和《海内四经》是周秦时代叙述禹鼎图的产物，而《荒经》以下五篇是刘歆解释前者之作，实际也是禹鼎图的间接产物。这比杨慎把全部《山海经》都归为禹鼎图进步了，因为《山经》内容恐怕禹鼎是无法全面表现的，其文的述图痕迹也不明显。

他还认为刘歆是根据汉代《山海经图》增释的《荒经》以下五篇，而汉图已经与禹鼎图有差异。根据是其中有成汤、有王亥仆牛等内容。这是有一定道理的。

但是，他认为汉图也是郭璞、张骏《图赞》吟咏的对象。恐不确。笔者前文已论，郭璞《图赞》三百零三篇，涉及《山海经》全书各篇，不可能是汉图。

毕沅还考证了张僧繇图和舒雅图。毕沅的工作是当时对于《山海经》图最全面的考证。

5. 毕沅的"无怪物说"和正统的《山海经》研究观念

毕沅如何对待《山海经》中怪物描写呢？难道也是真的吗？这是所有古代《山海经》学者不得不面对的问题，这个问题不解答好，就无法肯定《山海经》在经学时代的价值。对此，他在《自序》中提出了一种合理主义的假说，全面否定经文有怪。

《山海经》未尝言怪，而释者怪焉。《经》说鸱鸟及人鱼，皆云人面。人面者，略似人形。譬如，《经》云鹦母（《西山经》经文中为"鹦鹍"）、狌狌能言，亦略似人言。而后世图此，遂作人形。此鸟及鱼，今常见也。……举父……是既猿猱之属。……（郭璞）又不知其常兽，是其惑也。以此而推，则知《山海经》非语怪之书矣。

经文注解中也贯彻了这种假说。例如《南山经》英水有赤鱬，"其状如鱼而人面"。毕沅注云："凡云人面者，皆略似人形。"《西山经》云："西王母，其状如人，豹尾虎齿而善啸。蓬发、戴胜。"毕沅云："经云此者，见其民俗如文身、雕题之属耳。俗遂以为神人也。"又云："戴胜，言其民俗尚此饰也。"这样一来，毕沅更加坚信《山海经》的真实性。所有的怪物都被归罪于后人的误解。他的目的实际是为了回避经学对于《山海经》言怪的责难，提高其社会地位。不过，笔者以为毕沅的合理主义解说并不能完全消除《山海经》中的怪物，如多足、多首、多尾、多眼、独足、独尾、独眼之类，还有鱼而鸡足、鱼而陵居、羊而无口之类，均未见其解说。对于海外民族的奇形怪状也没有解说。所以，毕沅消除怪物的努力并不彻底，对自己的假说也没有进行全面证明。

作为乾嘉时代学者，毕沅的正统观念很强。他确信《山海经》是"禹益书"以后，就完全把它等同于神圣经典，要求一切研究都必须像对待儒家经典一样尊重，坚持古字，反对俗字、新字，不允许有怀疑，也不允许有其他解释。

对于历代肯定"禹益书说"的学者，他一概支持。像郑玄注《尚书》、伏虔注《左传》用《山海经》等。他承认刘歆"可以考祯祥变怪之物，见远国异人之谣俗"和郭璞"不怪所可怪，则几于无怪矣；怪所不可怪，则未始有怪也"的论述"足以破疑《山海经》者之惑"。但是，毕沅又觉得二人都未能充分了解《山海经》的地理志性质，所以，批评他们"皆不可谓知《山海经》者"。而全面肯定《山海经》地理志性质的郦道元自然成为毕沅最赞赏的《山海经》学者。

对于怀疑《山海经》的学者，毕沅则加以否定。他说：疑此经"自杜佑始"。虽未明言批驳，而贬义自见。

基于清代考据学强调征实的原则，毕沅对于杨慎注提出批评："杨慎所注，多由蹈虚而非征实。其于地理，全无发明。"

对于吴任臣《山海经广注》，则批评引书太滥："任臣则滥引《路史》、六朝唐宋人诗文，以及《三才图绘》、《骈雅》、《字汇》等书以证经文。"这些书史料价值不高，文字错误也较

多，所以，毕沅云："任臣所注多在于斯，经之厄也。故无取焉。"这种批评比《四库提要》严厉得多。这可能和毕沅对自己著作的高度自信有关。

从总体上看，毕沅《新校正》非常大气，这可能和他的个人气质与身份有关。毕沅《山海经古今篇目考》称自己完成了三件工作。其一是考证篇目，其二是考证文字，其三是考证山名水道。细读《新校正》全书，作者的确在上述三方面都作出了贡献，标志着清代《山海经》考据学研究取得了重要进展。这当然归功于作者的博览群书和广泛经历。他在校注中引证书籍非常挑剔，全是正统著作；引文也非常精练，绝无冗言。和那些炫耀博学者大不相同。毕沅的学术成就和学术气度使得《新校正》成为《山海经》研究史上一部里程碑式的著作。后来，郝懿行作《山海经笺疏》正是在毕沅《新校正》基础上展开的，而且引用了其中不少成果。

（五）郝懿行《山海经笺疏》的文字订讹与注释

郝懿行（1757～1825），字恂九，号兰皋。嘉庆进士，官户部主事。潜心著述，深于训诂。主要有《易说》、《书说》、《春秋比》、《春秋说略》、《竹书纪年校正》、《山海经笺疏》、《尔雅义疏》，还有《穆天子传》的注解。

郝氏于嘉庆九年（1804）完成《山海经笺疏》。嘉庆十四年（1809）由仪征阮元琅嬛仙馆首次刊刻。阮元题序。全书十八卷，附《图赞》一卷、《订讹》一卷。光绪年间，据其遗稿而刻的所谓"郝氏遗书本"《山海经笺疏》（以下简称《笺疏》）质量上乘，由顺天府府尹游百川进呈光绪帝。光绪七年上谕："即著留览。"上海还读楼于光绪十三年校刊重刻。正文内容同琅嬛仙馆刻本，但增加了《上谕》、游百川《奏折》、蔡尔康《校刊山海经笺疏序》、江标《重刻山海经笺疏后序》和宦懋庸《校采山海经笺疏序》。巴蜀书社 1985 年影印此本，方便易得。光绪十七年（1891）上海五彩公司石印《钦定郝注〈山海经〉》即翻印郝氏遗书本，并加了插图。

学界公认《笺疏》是清代《山海经》学之翘楚。当时学界领袖阮元《刻山海经笺疏序》云："吴氏《广注》征引虽博而失之芜杂。毕氏校本于山川考校甚精，而订正文字尚多疏略。今郝氏究心是经，加以笺疏，精而不凿，博而不滥。粲然毕著，斐然成章。"游百川上郝氏遗书本之《奏折》云："……（郝氏）事刊疏缪，辞取雅驯。既富搜罗，复精辨疑。可谓殚心典籍，无愧通方。"《笺疏》在文字订讹、训诂和史实考证诸方面都达到了乾嘉时代考据学的最高水平。

1. 精审的文字订讹

郝懿行和毕沅一样，主要用当时白云观所藏道藏本《山海经》来校订经文（但双方所用底本不同），同时利用其他各种比较正式的典籍，如《尔雅》、《说文》、《广雅》、《太平御览》等书征引文字互校，非常严谨。他的校正范围不仅包括经文，也包括郭注，甚至用正确的经文校正其他书籍引文的讹字。为醒目，郝懿行把全书校正结果重新收集，编为《订讹》一卷附于书后。

郝懿行所用底本有优于毕沅本之处。如，《南次二经》之

首柜山有兽，"其状如豚"。郝案："毕氏本豚作反，讹。"又如，《海外西经》形天，毕本作"形夭"。毕校云："旧本俱作形天，案唐《等慈寺碑》正作形夭。依义，夭长于天。始知陶潜诗'形夭无千岁'千岁则干戚之讹，形夭是也。"毕说不当。郝懿行底本作"形天"，郝案："《淮南子·地形训》作形残。天、残，声相近。或作形夭，误也。《太平御览》五百五十五卷引此经作'形天'。"现代学者一般接受郝氏之说。

　　郝懿行恪守注经不改本字的传统，与毕沅先改后校的做法大不相同。其《山海经笺疏叙》云："凡所指摘，虽颇有依据，仍用旧文，因而无改，盖放郑君康成注经不敢改字之例云。"这既是郝氏的严谨，也是乾嘉考据学规范日趋严格的反映。

　　由于毕沅已经在校正经文上取得不少成就，所以，郝懿行常加以援引。如《北次三经》鸡号之山，郝案："《说文》、《玉篇》引此经，并作惟号之山。"与《新校正》同。对于毕校过分简单处，也做了补充。如《南山经》之首穆山，毕沅只引了任昉《述异记》作"雀山"，而此显系误字。郝懿行加引《文选》注《头陁寺碑》作"鹊山"，使人更加容易理解"誰"字实为"鹊"之古字。《南次首经》有鹠鹏鸟，毕沅校订为鹠鹏。郝懿行同意毕说。但是，郝懿行进一步指出：郭注："鹠鹏，急性也"仍然有讹误。郝云："《方言》曰：'憋，恶也。'郭注云：'憋怤，急性也。'憋怤、鹠鹏，字异音同。然则此注当云：'读如憋怤，急性。'今本疑有脱误。"阮元说郝氏"精而不凿"，的确如此。

　　对于毕沅《新校正》的误校，郝懿行多加纠正。如，《南

次首经》英水多赤鱬。郭注："音懦"。毕沅以为鱬当为"鲕"，音而。郝案："懦，盖儒字之讹。藏经本作儒。"由于道藏本作儒，如果郭注不误，则经文鱬字无误，而毕沅推测误。《南次二经》洵水"多茈蠃"。郝案："郭云：'紫色螺，即知经文茈当为茈之讹也。古字通以茈为紫。《御览》引此经，茈作茈。"其实，《东次首经》激水"东南流注于娶檀之水，其中多茈蠃"。郝案："蠃当为蠃字之讹。茈蠃，紫色螺也。"这可以证明郝校正确。郝校可以纠正毕沅释茈蠃为蒲卢的错误。

对于底本比较明显的误字，郝懿行也有据理出校的情况。《南次首经》祝余草，郭注："或作桂荼。"郝案："桂，疑当为柱字之讹。柱荼，祝余，声相近。"

郝懿行还利用正确的经文校正其他书籍的引文。如《西次四经》中曲之山有驳，"自身黑尾"。郝案："《尔雅疏》引此经作身黑二尾，误。"此类不少，但与《山海经》研究关系较远，不复赘言。

郝懿行对于全书文字总数和《山经》各卷道里均有详细统计和校正。如《南山经》末尾"右南经之山志"下，郝案："篇末此语，盖校书者所题，故旧本皆亚于经。"经文云："大小凡四十山，万六千三百八十里。"郝案："经当云凡四十一山，万六千六百八十里。盖传写之误也。今检才三十九山，万五千六百四十里。"

凡此种种，可见郝懿行在校正经文方面做了极其细致的工作。

但是，毕竟当时古书难得，郝懿行未见宋元本，因此他的文字订讹工作仍然存在一些失误。周士琦《论元代曹善手抄本〈山海经〉》用故宫收藏的《石渠宝笈》著录之曹善抄本的一部分（《南山经》、《西山经》和《北山经》）比对郝校，指出了郝校臆断之处有八。笔者无意责怪郝懿行，因为毕竟超出常人力所能及的范围了。而且，周士琦所指出的第一条"臆断"即前文引述的"右南经之山志"校语，曹氏抄本未低一格。但是，笔者用尤袤刻本的影印本核对，的确低一格，说明郝校并非臆断。

容肇祖在《〈山海经〉研究的进展》一文中评论："郝懿行的优点，在于取吴任臣、毕沅两家之长，而加以精密的校勘。……其妻王照圆为之覆校，其用力之勤，实为难得。故有此书，而《山海经》校勘之能事毕矣。"是为的论。

2. 通达而严谨的训诂

郝懿行和郭璞一样，对于名物训诂十分感兴趣，曾有《宝训》、《海错》、《燕子春秋》、《蜂衙小记》等著作。《尔雅》、《说文》耳熟能详，晚年《尔雅义疏》更是有史以来最好的《尔雅》注本。而郭璞曾注《尔雅》、《方言》等。所以，郝懿行对于郭璞的'学术背景非常熟悉，常常能指出郭璞《山海经》注文的来历。如《西次四经》劳山多茈草，郭注："一名茈莫，中染紫也。"郝案："茈草，即紫草。《尔雅》云：'茈莫，茈草也。'是郭所本。"所以，郝懿行对于郭注讹字和失误之处往往一目了然。如《南次首经》青丘之山有兽"如狐而九尾"，郭注："即九尾狐。"郝懿行引郭璞注《大荒经》九尾狐是太平祥瑞为证据，说明此处吃人的"如狐而九尾"的怪兽并

非真正九尾狐。用郭注反驳郭注，以子之矛，攻子之盾，可谓十分有力。

对于郭注的错误多有纠正。例如，前文谈到汪绂已经发现郭璞注解《西山首经》"华山，冢也"有误，主张"冢"表示山岳地位的尊贵。郝懿行没有读过汪绂《山海经存》，但是他把相关各山联系起来进行总体分析，得出了类似的结论："此皆山也，言神与冢者，冢大于神。……郭以冢为坟墓，盖失之。"《中次九经》共十六座山，各山祭祀之礼不同。经云："文山、勾欄、风雨、騩之山，是皆冢也。其祠之：羞酒、少牢具、婴毛一吉玉。熊山，席也，其祠：羞酒、太牢具、婴毛一璧。"郭璞注："席者，神之所冯止也。"郝懿行按语："席当为帝。字形之讹也。上下经文并以帝、冢为对，此讹作席。郭氏意为之说，盖失之。"郝懿行对《山海经》山岳等级制度有了更加全面的认识，这是学术史的一个重要进步。

对于郭注不明的地方，郝懿行加注十分详尽。如《西次三经》西王母"司天之厉及五残"。郭注："主知灾厉、五刑残杀之气也。"郭注"厉"为灾厉，不很确切。把五残解释为"五刑残杀"的缩略语，则完全不对。他大概是用后来的"五行观念"把西方看作"刑杀之气"的代表而得出的结论。事实上，《山海经》中并没有完整的五行观念。毕沅《山海经新校正》注"厉"为鬼："厉，如《春秋传》'晋侯梦大厉'也。"但是，毕沅没有解释"天之厉"是什么，天上有鬼吗？更没有说明"五残"究竟是什么东西。

郝懿行对此段经文所加案语如下：

　　历及五残皆星名也。……《月令》云："季春之月，命国傩。"郑注云："此月之中，日行历昴，昴有大陵，积尸之气。气佚，则厉鬼随而出行。"是大陵主厉鬼。昴为西方宿，故西王母司之也。五残者，《史记·天官书》云："五残星出正东。……"《正义》云："五残，一名五锋。"出则见五方毁败之征，大臣诛亡之象。西王母主刑杀，故又司此也。

　　主要意思是西方的昴星宿包括了一组星辰，就是大陵星。这个星名就是大坟墓的意思，大陵之中又有一颗积尸星。由此可见，这里就是天上的厉鬼之气聚集的地方。这些气一旦逸散，厉鬼就会出现在大地。所以，大陵星决定着厉鬼们的活动——"主厉气"。而西王母在西方，因此，应该主管西方的某些星宿。她是通过掌握西方昴宿中的大陵星中的厉鬼之气而掌管厉鬼的。郝懿行对于"五残"的解释纠正了郭璞的错误。他把"天之厉"解释为天上的"厉鬼"，也是合理的。不过，他推定"厉"和五残一样都是星名，则不可信，因为古代天文学中没有这么一个"厉星"之名。

　　可惜的是，郝懿行受郭璞影响太深，在部分纠正了郭注的错误之后仍然主张西王母主管刑杀。因此，郭注的这个错误一直延续到现代学者。茅盾等学者忽略了郝懿行的发现，仍然根据郭注推论《山海经》中的西王母为可怕的刑罚之神，完全割裂了西王母形象在历史演变中的内在统一性。

　　郝懿行也利用音韵学知识作注。如《北次三经》"凡北次三经之首自太行之山至于无逢之山"，郝案："无逢，即母逢也。母、无，古音同。"这样就解释了与前文"母逢之山"的矛盾。《海外南经》周饶国，郝案："周饶，亦僬侥，声之转。又声转为朱儒。"郝懿行比毕沅慎重，所以这方面失误较少。

对于《山海经》的地理学考证，郝懿行基本沿袭毕沅《新校正》，偶有创见。如《南山经》招摇之山在西南方，毕沅云："《大荒西（当为东）经》日有招摇山，融水出焉，即此。"方位有误。郝懿行引《吕氏春秋·本味篇》高诱注云："招摇，山名，在桂阳。"比较合理。

郝懿行坚守笺注传统，客观注解，不做主观发挥。他摒弃先验立场，既不拔高，也不贬低。完全依照经文出注，实事求是。至于经文是否言怪，是否真实一概不论。所以，像毕沅那样的"人面，略似人而已"之类的解说在郝氏注中完全没有。

3. 郝懿行对《山海经》的总体看法

郝懿行《山海经笺疏叙》较全面地阐述了他对作者、时代、篇目、性质等问题的看法。但是，郝基本沿袭毕沅的看法，创见不多。

例如，郝坚持大禹作书假说。他承认书中有一些周代以后的内容。例如："《经》称夏后，明非禹书；篇有文王，又疑周书。"又如："《经》'倭属燕'者，盖周初事欤?"可是，他从总体上还是强调《五藏山经》是大禹之书，上述内容只是羼入的后人文辞，不可据之而疑经。因此，对于书中虚幻因素，郝懿行根据禹鼎传说而推定是大禹为了"俾民不眩"，故云："……后之读者，类以夷坚所志，方诸《齐谐》，不亦悲乎?"

由此可见，郝对于《山海经》作者的看法十分传统。难怪陆侃如批评他思想"顽固"了。

另外，郝懿行认为《山海经》是地理志，原来是图文配合的，而这个古图应当标注着山川道里。这和毕沅观点相近。可是，最早著录、整理《山海经》的刘歆未言此书有图，而后代学者据以言"《山海经》古图"的郭璞注所提之所谓古图只是一些异物，并没有古代地图的痕迹。那么，所谓《山海经》古图的存在其实是一个很虚的假说。

总的看来，郝懿行《山海经笺疏》主要成就是文字校订和训诂。根据郝氏《山海经笺疏叙》统计，《笺疏》共"创通大义百余事，是正讹文三百余事"。这一成就的确代表了那个时代考据学的一流水准。

以毕沅、郝懿行为代表的考据学研究在《山海经》学术历史上取得了空前成就，树立了一种典范。后来学者很难在校订和训诂上超过他们，必须另辟蹊径。

（六）陈逢衡《山海经汇说》的合理化解释

陈逢衡（1778—1855），字穆堂，江苏江都人。此人风流倜傥，拒绝仕进，一生读书著作。他读书毫无功利心，所以不大关注正统的经学、史学。按照他自己的说法："经学宏深，史学浩博，略一窥测，杳无津涯"，自己"惟取世人厌弃不阅之书，寝食其中"。主要著作有《竹书纪年》（1813）、《逸周书补注》（1813）、《穆天子传补正》（1843）、《山海经汇说》（1845）和《博物志疏证》等。由于作者远离学术主流，又绝意仕途，所以不大为学界关注。

《山海经汇说》（以下简称《汇说》）含 90 条笔记，总为四卷，刻于道光二十五年（1845）。此后，一直无人提及。近年赵宗福开始高度评价其书，认为其著作体例近乎专著，分量重，多创新之见，一些方法与结论和现代学术接近。笔者认为，陈逢衡主要受毕沅、郝懿行等人的影响，认定《山海经》为写实之作，在此基础上做了一些合理主义解说，有创见，对现代神话学研究有一定的参考价值。

1. 《汇说》的目的与方法

自毕沅纵论《山海经》为地理书并做合理主义解说之后，学界颇有肯定。陈逢衡道光二十年（1840）《自序》基本秉承了毕沅的观点："因念《山海经》一书，蕴埋剥蚀，咸目为怪异而不之睹，为可惜也。然，是书之弃置不道，一误于郭氏景纯注，务为神奇不测之谈，并有正文所无而妄为添设者。再误于后之阅者，不求甚解，讹以传讹，而此书遂废。"其核心观点在于《山海经》是可信之书，而怪物之谈都是郭璞注和后人误读造成的，这和毕沅观点十分接近。

为了证明《山海经》的写实性，他采取直读经文的方法来取证。道光二十年《自序》云："余不揣固陋，平心澄虑，但见《山海经》本文明白通畅，全无怪异之处。"而后，又参考吴任臣、毕沅、郝懿行注来批驳郭注。对于旧注承袭郭注为说之处，陈逢衡遂一一加以驳斥。其道光二十三年《自序》又总结为四条方法：

一曰离合其句读。于事之当分属者，则分之；于事之当联续者，则合之。庶眉目分清，一望可见。一曰展玩前后体例、书法以为证据。一曰止读经文。以经辟注，如土委地，不解自明。一曰按之情理，征之往籍，以观其会通。往往有出人意计之外，可与古人相视而笑者。以是解书，宜无误矣。

其核心方法是两个。其一是直读经文，其二是按之情理做合理主义解说。

其实，毕沅《新校正》已经开始用合理主义方法消除《山海经》的怪物描写。但是，陈逢衡显然认为毕沅做得不够。所以，《汇说》用了大量篇幅来消除经文中的怪物。毕沅重点在奇怪动物；而陈逢衡重点在奇人。

陈在解释《海外南经》羽民国时云："'身生羽'三字不可泥。犹《海外东经》毛民国身生毛。短则为毛，长则为羽耳。郭谓能飞不能远，误矣。又谓是卵生，于经文外添设，更误。"《海外南经》有不死民，陈云："夫食之乃寿，饮之不老，亦谓其可以长生尽年，因而谓之不死。非真不死也。"其《西王母》条云：

胡应麟不信《山海经》，故以虎齿豹尾为疑。考《纬书》云："伏羲方牙，一曰苍牙。"《白虎通》云："帝喾骈齿。"则虎齿之状，亦若是而已。不过极言其大耳，非有异焉。……西王母之豹尾，盖是取豹尾以为饰，而非真有尾如豹也。

其《形天操干戚而舞》条云：

……以乳为目、脐为口，是其图状如此。操干戚而舞是与帝争神时形状。盖因其无首，故画一被戮后之形天以为戒。非谓断其首犹活也。此是后人按图增饰而附会其说之语，故日乳为目、脐为口。其实无有是事。若谓断其首犹活，则葬之常羊之山者又何人乎？郭注是为无首之民，则是无首犹活也。不可为训。

这里借用了《海经》是解图之作的说法，把形天神话的产生归结为读图失误。其他，如三首国、三身国也都被释为读图失误。

上述合理化解释的说服力并不强。陈逢衡又罗列了《山海经》所有药用植物记录、诸国姓氏记录和占验记录等材料，以强调《山海经》的写实性质。他的这种做法依然有以偏概全之嫌。

由于《山海经》原文简略，有些情节的确不清，所以存在多种解释的可能。陈逢衡强调向写实一面理解，而郭璞着重向虚幻方面理解，双方的对立就无法避免了。意气十足的陈逢衡痛诋郭璞："郭氏添设，节外生枝，遂成奇怪。后人目《山海经》为伪书，而不知《山海经》本不如是也。……吾愿天下读《山海经》者，只读正文，删去郭注可也。"至此，我们就彻底明白为什么陈逢衡《自序》要求"止读经文"了，他的目的是"以经辟注"——排斥郭璞注。在他眼里，郭璞歪曲了《山海

经》。其实，《山海经》本身同时存在写实与虚幻两部分内容。郭璞注存在一些过分求怪的倾向，但是毕竟较好地揭示了《山海经》的虚幻内容。陈逢衡根据自己的假说全面否定郭注，就显得过分极端了。

2. "夷坚说"是对"禹益说"的修正

陈逢衡反对《山海经》作者"禹益说"。他根据《列子·汤问》谈到鲲鹏时的一句话——"世岂知有此物哉？大禹行而见之，伯益知而名之，夷坚闻而志之"，认为夷坚所闻、所志就是《山海经》。其《〈山海经〉是夷坚作》条云：

其前五篇（指《山经》），或系大禹、伯益所遗留简策，夷坚从而述之，故无甚怪异。其下篇次所述，则皆夷坚手订，按图而记者也。厥后又有周末战国时人续录之语，故征及文王葬所与汤伐桀之事。今一概连接成文，致后人之疑议。兹订为夷坚所作，则凡书中记禹父之所化与夏后开等事，无庸疑议。或谓夷坚是南人，其书留传楚地，至屈子作《天问》时多采其说而问之，实通论也。故自《海内东经》以上俱

以南西北东为次，居然可见。至《大荒经》则以东南西北为次，显是另一人手笔。陈氏此说主要为了解决《山海经》中存在大禹以后的史实与"禹益说"之间的矛盾，以避免世人怀疑。但是陈所据《列子》本身可疑，而且原文只是谈鲲鹏，不是谈《山海经》，因此，陈逢衡的"夷坚说"只是对于"禹益说"的一个主观化修正，恐不足凭。

3. 对《山海经》天文内容的解说

杨慎《补注》曾列《山海经》中日月出入之山，存而未论。陈逢衡比较关注《山海经》中天文学内容，并进行了解说。其《〈山海经〉多纪日月行次》条云："《大荒东经》言日月所出者六，盖各于一山测量其所出之度数，以定其行次也。……《大荒西经》言日月所入者七，盖各山皆设有官属，以纪其行次。然后汇而录之，以合其晷度，如今时各省节气不同是也。"四季之中，太阳升起和降落的位置是不同的。陈逢衡认为这些山是古人观察记录太阳运行轨迹确定季节之用。这个结论与现代天文学史研究结论基本一致。这是一个比较突出的成果，使我们得以了解《荒经》这十四座山峰的性质和功能。

其《九日居上枝一日居下枝》和《一日方至，一日方出》讨论十日神话。对于十日之说，王充《论衡》曾经提及百姓以十天干为十日，并指出神话中的十日并出并非真正的十个太阳，而是天文观测中的幻象。陈逢衡对王充观点的两个层次进行了更加深入的讨论。

首先，他引证《左传》中的"十日"是十天干。在此基础上，他认为："夫所谓九日一日者，乃仪器之象，即甲乙丙丁戊己庚辛壬癸也。如当甲日，则甲日居上，余九日居下。乙日则乙日居上，余九日居下。推之十日皆然。周而复始，所以记日也。……夫尧时十日，特其仪象耳。"生活中的十日是天干，那么神话中的十目又是什么呢？陈逢衡《一日方至，一日方出》条讨论十日神话："实与《海外东经》所云'有大木，九日居下枝，一日居上枝'一鼻孔出气。此即司仪器之人所执

掌。然《山海经》图象不能运转，故画一日方至，一日方出之状，以形容之耳。其云载于乌者，非谓日中有乌也，谓写此十干之字，标立于乌之上，以象其飞升。"陈逢衡借助于朱熹提出的《山海经》是记述古图之作的假说，把经文中的十日神话解释成叙述《山海经》古图的人理解图画有误。

其次，陈在《论衡》基础上推论神话中的十日是"皆蒙气凝结，为日光所射，故有似众日耳"。这和当代一些神话学家用天文幻象解释神话的做法如出一辙，可谓陈氏创新之论。

通过以上论证，陈逢衡说明十日神话不可信。所以，他推论尧时不存在十日并出的妖异情形，羿射十日更属子虚乌有。又据今本《山海经》无射日情节痛批郭璞用羿射十日神话注解经文是"纠缠不已，若全未睹《山海经》者"。所以，陈氏解说实际仍然是在传统的合理主义范围内设法消除《山海经》的怪物描写，批驳郭璞解说，而与现代神话学研究方法存在本质区别。

当然，陈逢衡在当时条件下能有如此见识，并部分地揭示了某些神话产生的具体背景，实属不易。

（七）俞樾《读山海经》的新境界

俞樾（1821～1907），字荫甫，号曲园。曾任河南学政，罢官后专心著述，四处讲学，是清代后期著名考据学大师，一代名儒。其《俞楼杂纂》收有多种读书笔记，其中包括《读山海经》。此书共计36条，排列次序完全依照经文顺序，属于笔记体的专书考据之作。不过，此书具体写作时间不详。

俞樾解《山海经》有两个特点。

首先，强调文义通达。一般注家往往只关注被注文字的含义，较少关心全文是否文义通畅。《南山经》"多蝮虫"，郭注："虫，古虺字。"学者多从郭说。但是，俞樾按："《说文》：'虫，一名蝮。''蝮，虫也。'是蝮与虫同物。既云蝮，不必言虫矣。疑古本止作多蝮，或本作多虫，而写者误合之耳。"俞氏从文义重复认定经文有误。《西次四经》诸次之水"是多众蛇"。《水经注》引此文为"象蛇"。毕沅《山海经新校正》根据当地不出产大象的事实而认为《水经注》引文有误。郝懿行《山海经笺疏》则列举各种版本均为"众蛇"，以此推定《水经注》引文有误。而俞樾认为：象蛇即《北山经》之鸟名，"毕氏误以象蛇为二物，以其地无象谓当为众蛇。既云多，又云众，不辞矣"。不辞，就是不成话，不通。俞樾用《水经注》引文来否定传世《山海经》经文的做法，不符合考据学的一般原则。但是，考虑到经文"多众蛇"实在不通，考虑到《水经注》在古代知识体系中崇高的地位，那么，俞樾的说法还是有价值的。《海内南经》有建木"其叶若罗"。郭注："如绫罗也。"俞樾按："下文'其实如栾，其木若藘，则此罗当读为萝。……郭以绫罗说之，与下二句不一律矣。"这些案语非常强调把握经文文意的通达流畅。不通，则有误。这种校正方法当然都属于理校，在没有直接版本依据时只能作为参考（"象蛇"一条有《水经注》引文为证，可以完全肯定）。但是，俞樾对于经文文理的高度敏锐和深入体察使他的校正达到了很高水准，令人惊叹。

其次，兼通古人义例。一般注家埋头注经，很少能全面把握古书义例和古人思路。《中次七经》半石之山有嘉荣，"服之者不霆"。郭注："不畏雷霆霹雳也。"俞樾按："不畏雷，不得但言不霆。"因为《西山经》、《中山经》都有"服之不畏雷"，这是惯例。所以，俞樾判断郭注有误，经文中"霆"字当为"姃"字之假借字。姃，一种妇科病。

最能显示俞樾考据学境界的是他对于各山地位和祭祀之礼的研究。《山海经》中常言某山"冢也"、某山"帝也"、某山"神也"，或某山"席也"。分散各处，郭注往往把它们解释为神灵停息之地，于义未达。汪绂、毕沅偶有解说，也无通论。郝懿行对此有了比较全面的认识，部分地纠正了郭璞之误。但是，郝未能系统总结这一套山岳等级制度。俞樾全面考察了《五藏山经》中各山的地位、相互关系和相关祭礼，从中总结出《山海经》作者对于各座山岳的地位有一套比喻性的称呼。其中，帝最高，次为冢，再次为神（或魖）。帝如天帝，冢如君，神如臣。他从阅读古籍的经验出发，认为这是上古时代人们的习惯。而古人确定的对于帝、冢、神的祭礼分别是太牢、少牢和百牺。有了如此全面深入的认识，俞樾解释《五藏山经》各个相关问题时直如高屋建瓴。例如，《西山经》云："华山，冢也。"郭注："冢者，神鬼之所舍也。"而俞樾云：

下文"翰山，神也"，两句是对文。冢，犹君也，神，犹臣也。盖言华山为君，翰山为臣。此乃古语相传如此。……冢、君连文，冢亦君也。至神为臣，亦见《国语·鲁语》。……此经冢、神对言，乃古语之仅存者。后人不通古语，宜不得其旨也。

俞樾还根据上述通例来校正经文之误。《中次九经》云："熊山，席也。"俞樾按：

（郭）注曰："席者，神之所冯止也。"愚按：郭说望文生训，未得古义。……此经言文山、勾檷、风雨、骐之山，是皆冢也。则亦当云熊山神也。乃变文言席，义不可晓。据下经"堵山，冢也"、"骐山，帝也"，疑此席字亦帝字之误。冢也、神也，则冢尊于神；冢也、帝也，则帝又尊于冢。盖冢不过君之通称，而帝则天帝也。古人属辞，初无一定之例，而其意仍相准耳。

这和郝懿行当年的初步解说是一致的。

根据同样的道理，俞樾又纠正了《中次十二经》一处错误。经云："洞庭、荣余山，神也。其祠：皆肆瘗，祈酒太牢祠，婴用圭、璧十五，五采惠之。"他认为此"神"字当为帝。因为其祭礼用太牢，而同经其他称冢的各山皆是少牢之礼——《中次十二经》："凡夫夫之山、即公之山、尧山、阳帝之山，皆冢也。其祠：皆肆瘗，祈用酒，毛用少牢，婴毛一吉玉。"这个校正是有道理的。俞樾总结道："古人制礼，秩然不紊。此文于冢用少牢，神用太牢，非其例矣。神为帝误，以是明之。"

　　常人以理校经是颇有风险的。但是，俞樾学问渊博，才华横溢，可与古人神游。在充分了解了古人义例之后，他的上述校正就显得非常确实。高超的学力使得他对《山海经》的解读达到了出神入化的境地。

　　不过，作为正统的经学大师，俞樾对于《山海经》的语怪是不以为然的，认为那些内容皆是"不经"之辞。所以，他解释《大荒西经》"帝令重献上天，令黎印下地"神话的时候就出现问题。俞樾按："献，读为仪。……盖献与仪古音同也。……印当作了，隶变作印。遂与印我之印无别。俗又加手作抑。《广雅释诂》：'抑，治也。'……然则'令重献上天'者，令重仪上天也。仪之言仪法也。'令黎我印下地'者，令黎抑下地也。抑之言抑治也。"按照这种解释，重、黎绝天地通的神话就成了重、黎分别掌管天地事物，成了历史。把神话历史化，本是儒家传统。但是，这不符合《山海经》神话的事实。

　　《读山海经》从数量上看，不过区区三十六条笔记而已，但是，创见甚多，解决了不少疑难。可惜这位大师在《山海经》上所用心力有限，《山海经》还留下了许多问题等待解决。

现代的《山海经》研究

晚清时期随着中西方激烈碰撞带来的中国惨败的结局，中国学者面前第一次出现了一个既令人羡慕，又令人嫉恨的文化参照体系。随着"西学东渐"的盛行于世，数千年一统的文化价值观念，丧失了独尊地位，并逐步陷入彻底崩溃。处于文化体系顶端的思想与学术观念发生剧烈变化，中国进入了新的文化创造时期。《山海经》在传统文化语境下长期遭人诟病的神怪内容在新的文化语境中、在和西方文化的比较中获得了新的价值。《山海经》进入文化圣殿的最大障碍——"语怪"——被彻底扫除了。

《山海经》的史学价值、地理学价值以及科学价值得到重新肯定。现代考古学的出现，以及殷墟甲骨文的出土，证实了《山海经》的一些"神话"实际是上古历史。王国维《古史新证》用殷墟卜辞、《周易》与《山海经》相互印证说明了商王世系中王亥的故事，故云："虽谬悠缘饰之书如《山海经》、《楚辞·天问》……其所言古事亦有一部分之确实性；然则经典所记上古之事，今日虽有未得二重证明者，固未可以完全抹杀也。"王亥在《山海经》中并非重要人物，仅仅根据这条材

料还不足以全面肯定《山海经》的史料价值。王国维自己也只是说其史料价值不能完全抹杀，他对《山海经》的总体评价还是"谬悠缘饰之书"，依然以怀疑为主。当时学界更是未能普遍接受此书。而胡厚宣用甲骨文四方风名、四方神名和《尚书·尧典》、《山海经·大荒经》中相关资料对照，说明三者中的四方神、四方风是一脉相承的。故胡厚宣对《山海经》的结论是："并非荒诞不经之作，而确实保留有不少（着重号是笔者所加）早期史料。"胡的观点在当时学界颇受重视。后来研究四方风的学者，如陈梦家、于省吾、李学勤等，无不援引胡的看法。于是，《山海经》的史料价值得到更加全面的确认。而历史地理学的发展，特别是谭其骧对《五藏山经》所述上古地理的全面研究，使得《山海经》的地理学价值再次得到肯定。本书开篇已引，此处不赘。而郭郛最新出版的《山海经注证》则主要从生物学角度考证其中动植物知识的虚实。根据该书《前言》，此书落实了其中约 300 种动物，160 种植物等。其中一些考证非常有价值。例如，《中次三经》蝉渚多仆累、蒲卢。郭璞注："仆累，蜗牛也。《尔雅》云：蒲卢者，螷蛉也。"毕沅认为郭注误，蒲卢当为蠃。郝懿行支持毕说："《尔雅》之蒲卢，非水虫也，郭氏引之误矣。以蒲卢为螷蛉尤误。"但是，郭郛认为螷蛉是稻苞虫，生活在水生植物叶上。蜗牛、螷蛉均在水生植物上生活，而不是直接生活在水中。这正符合经文所云二物生活在埠渚之上的事实。郭郛纠正了毕沅、郝懿行的观点，重新肯定了郭璞注。

通过各学科的共同努力，《山海经》的真实性方面就得到了全面的落实，它进入文化圣殿的最后障碍也扫除了。

由于《山海经》既有真实性一面，又有虚幻性一面，考古学、史学、地理学、生物学都只能说明其真实性一面，而无法说明其虚幻性一面，因而这些学科不能全面揭示《山海经》的主要文化意义。《山海经》在中国现代文化体系中最重要的、不可替代的价值是作为上古神话宝库的意义，因此，《山海经》在现代的最大价值是由神话学论证的。故，限于篇幅和笔者学养短长，在现代部分，本书只讨论现代神话学对于《山海经》的研究。

（一）价值观的改变与《山海经》文化地位的上升

在西方文化的两大传统——古希腊文明和基督教文明——中，神话一直占有崇高的文化地位，神话是西方文化的重要经典。尽管基督教反对异教神灵，反对作为信仰的古希腊神话，但是基督教的上帝故事其实也都是神话。究其原因，主要在于西方文化把超自然的神灵视为价值本原。而基督教的正统观念中，现实的圣人只是由于坚信神灵而获得世人崇敬，圣人本身并不是神。这与中国文化崇拜人间圣贤，并把他们崇拜为神的历史传统大异其趣。

晚清学者在接触西方文化时，很容易把中西双方的文化经典加以比较，引以为同类，并引用西方价值观重新评价中国文化、重新塑造中国文化。蒋观云那篇奠定了中国现代神话学基础的短文《神话、历史养成之人物》云："一国之神话与一国之历史，皆于人心上有莫大之影响"、"神话、历史者，

能造成一国之人才。"而且认为神话是比历史更早的产物。这显然是参照西方价值观念得出的结论。而随着疑古思潮的兴起，传统价值观所赖以存在的古史系统被摧毁，神话的地位就愈加崇高。所以，在中国传统语境中不登大雅之堂的神怪之谈不仅走上了与古史同样神圣的地位，甚至逐渐超过了古史——按照古史辨学派的理论，神话比古史系统的时代更早，中国的古史系统是远古神话被历史化的产物。观察此时代各种谈论神话的言论，词义之中无不包含着强烈的肯定意义；并且与传统时代的"神怪"一词所暗含的贬义截然相反。鲁迅《中国小说史略》云：

昔者初民，见天地万物，变异不常，其诸现象，又出于人力所能以上，则自造众说以解释之：凡所解释，今谓之神话。神话大抵以一"神格"为中枢，又推演为叙说，而于所叙说之神，之事，又从而信仰敬畏之，于是歌颂其威灵，致美于坛庙，久而愈进，文物遂繁。故神话不特为宗教之萌芽，美术所由起，且实为文章之渊源。

神话获得如此崇高地位，这当然是中国文化转型的显著标志之一。随着神话地位的肯定，传统学术加在《山海经》头上的"语怪"恶谥已经涣然冰释。在新的文化语境中，作为包含神话最多的中国古代典籍，《山海经》越来越得到人们的普遍关注。

（二）学理的引入与现代《山海经》学的展开

1. 进化论的历史观念和文学史发展模式

对于在中国有着深厚历史积累的《山海经》学来说，要彻底改变《山海经》的文化地位仅仅是价值观改变而没有更深一步的学理探讨和证据搜集，那是不可能的。蒋观云虽然赞扬神话，却并未深入研究中国神话，也没有把《山海经》视为重要的神话材料。他的《中国人种考》只是用简单的动物进化知识把《山海经》中的怪异解释为被读者误解的史实："《山海经》者，中国所传之古书。真赝糅杂，未可尽据为典要。顾其言，有可释以今义者。如云长股之民、长臂之民，殆指一种类人之猿。"刘师培也同样，其《〈山海经〉不可疑》云："《山海经》所言皆有确据，即西入动物演为人类之说也。""《山海经》成书之时，人类及动物之争仍未尽泯。此书中所由多记奇禽怪兽也。"简单的西学知识，并没有直接推动现代《山海经》学的产生。《山海经》是在进化论的历史演进理论以及由此奠基的文学史发展模式的支持下，最终登上了高居文化史、文学史之首的"神话之渊府"宝座的。鲁迅、茅盾等人把进化的历史观念和文学史发展模式引入《山海经》研究领域，从而彻底改变了传统《山海经》学的研究模式，奠定了现代《山海经》神话研究的基本格局。

评价古籍，历史观念非常重要。以进化论为特征的西方现代历史观念对于《山海经》学的影响是十分重大的，因为它和古代《山海经》学所依据的历史观念截然相反。

　　中国传统的历史观总是着重于评价不同时代的道德水平，而且美化不可知的古代，贬斥历历在目的现实，于是其总的历史观主要是退化的。儒家总是"法先王"，道家总是向往远古时代的自然淳朴。古代《山海经》学秉持这种历史观念，自然难以理解《山海经》语怪的真相。古代学者总是以为最古的经典应该是平实雅驯的，《山海经》中的神怪都是后代的语怪者就故实而夸饰、铺张以成怪。例如，胡应麟就认为《山海经》是"战国好奇之士取《穆王传》，杂录《庄》、《列》、《离骚》、《周书》、《晋乘》以成者"。这样，《山海经》中的神怪内容实际上被看成了对于历史事实的故意歪曲，其写作年代也就自然被推得较晚，甚至于全书被当做后入伪作，其文化价值和文化地位因而也大打折扣。

　　而来自西方的进化论历史观念认为，人类社会与文化是不断演化的，并且在演化过程中得到不断提高。其一般发展模式是从野蛮、迷信，到文明、科学。鲁迅参照这种进化的历史观念，根据《山海经》"所载祠神之物多用糈（精米），与巫术合"，判定此书"盖古之巫书"。鲁迅的观点虽然在《山海经》性质的判断方面有一定偏差，但是，他确定了此书年代的古老，其影响十分深远。同样是根据这种从神性到人性、从野蛮到文明的文化发展模式，鲁迅《中国小说史略》在讨论神话和传说时得出结论："迨神话演进，则为中枢者渐近于人性，凡所叙述，今谓之传说。"这种神话演进的模式后来被总结为规律，在中国神话学界达成一致意见。例如，潜明兹《中国神话学》云："……神性神话→人性神话→英雄神话……这后三种神话发生的顺序，在研究者中似乎未见分歧，因为这一模式早在本世纪四十年代闻一多的名篇《伏羲考》问世时，已成为众所公认的神话发展、演变规律。"所以，根据这种历史观念，多神怪正说明《山海经》内容原始，决非后世好事者伪造。这方面，吕子方《读〈山海经〉杂记》的看法最为明确："一般说来，原始材料比较粗陋杂乱，晚一些的材料在前人基础上加工美化了，条理比较细密。"故，"书（指《山海经》）中那些比较粗陋艰懂和闳诞奇怪的东西，正是保留下来的原始社会的记录，正是精华所在，并非后人窜入"。按照这种进化的历史观点，传统学术否定的"语怪"，是真正原始的材料；传统学术中多所肯定的所谓"雅驯"之词反而是较晚时代产生的。吕子方还根据这一原则，在对比了屈原作品和《山海经》之间三十二组相似内容之后，发现屈辞比《山海经》文句更加美化了。因此，他确定是屈原引用了《山海经》，而不是相反。明人胡应麟等说《山海经》乃取材于《离骚》、《天问》而来，这等于说，《山海经》是取高度美化了的文辞变成粗陋记载的一部书。果真如此，《山海经》怎么能够受到秦汉文人学者的那般重视呢？按人类文化的发展程序来说，也是无法理解的。

茅盾的进化历史观也很明显。他根据西方人类学知识把神话的"不合理质素"（即所谓野蛮、迷信、怪异的因素）解释为原始思维、原始文化的反映，并且指出这些"不合理质素"随着文明进化而逐步地被改造，"于是本来朴野的简短的故事，变成美丽曲折了；道德的教训，肤浅的哲理，也加进去了"。根据这种历史发展模式，茅盾认为，《楚辞》中的神话材料已经很优美，与《山经》比较，是更后历史历程中的产物。所以，茅盾批评陆侃如定《山经》为战国之作太晚了，应该是东周之书。基于同样的道理，茅盾认为《山海经》中"豹尾虎齿"、"蓬发戴胜"的西王母比《穆天子传》中的西王母更原始，而后者又比《汉武内传》中的西王母古老。茅盾批评陆侃如误解《海内外经》后的校订人刘歆是该经作者，尤其是忽视了《山海经》中昆仑、西王母的原始性质，和《淮南子》中相关内容的神仙化之间的差距，误以为《海内外经》是西汉时代著作。茅盾断定："故就西王母一点而观，适足证明《海内外经》的时代不能后于战国，至迟在春秋战国之交。"茅盾认为《荒经》、《海内经》时代较晚，但是不会晚于秦统一以前。

有了鲁迅、茅盾等人根据进化论历史观而做的证明，《山海经》作为中国文化元典的地位遂得以确立。故袁珂说："《山海经》是保存中国神话材料最多的一部古书，虽然也很零碎，却比较集中，并不十分散乱，是它的优点之一；所有神话材料，都接近神话的本来面貌，篡改的地方绝少，是它的优点之二。有此两个优点，所以我们研究中国神话，必须先从此书着手……"进化论的历史观念解决了传统《山海经》学中关于雅驯与怪异之间、人事与神迹之间孰先孰后的难题，从而肯定了《山海经》所述神话内容的历史真实性（不是故事本身的真实性）。

2. 历史真实性观念的改变

真实有两种。其一是事实的真实；其二是心理的真实。神话虽然充满虚幻，但是它所反映的原始时代心理却是真实的。

《山海经》的地理与历史记录中有一些是事实的真实，而那些在今天看来属于虚幻的内容也反映了当时的真实心理状况。

传统《山海经》学所讲的真实都是指狭义的事实描述，要求文中一切内容都必须是真实发生的。贬斥者指责《山海经》"语怪"、"百不一真"是从书中神怪内容不是对事实的客观叙述出发的；辩解者则力图从不同角度说明书中所写均为客观事实。但是，现代学术所探讨的《山海经》的历史价值则不仅仅在于书中所写是否是对于历史事实的叙述；而且更在于此书对于叙述者本身真实心理的反映。《山海经》所含的神怪因素或出于信仰者的无意识虚构，或出于文学家有意创作，当然都不是狭义的事实描述。所以，从《山海经》真实传达了作者思想的角度看，这些虚构内容又都是当时精神的如实反映。所以，《山海经》即使记述了许多超现实的事物，但是它仍然是真实的。

这样，《山海经》的真实性就无需仰赖其叙述本身是否是现实存在，无需仰赖其地理志属性是否彻底。茅盾批评某些古代学者把《山海经》当做实用的地理书，也反对另一些古代学者把《山海经》看做"小说"："他们不知道这特种的东西所谓'神话'者，原来是初民的知识的积累，其中有初民的宇宙观，宗教思想，道德标准，民族历史最初期的传说，并对于自然界的认识。"这种具有远为宽泛的史实概念的史学研究，打破了传统《山海经》研究的狭隘史学话语霸权，更进一步深化了《山海经》的历史意义。为此后对于《山海经》的全面文化研究开辟了广阔的道路。

茅盾、郑德坤对于《山海经》地理志属性的否定，影响很大。他们完全从单一的神话学立场来看待《山海经》，这也歪曲了《山海经》的实际性质。其结论与现代历史地理学的研究结论全然违背，是不足为训的。

3. 古今小说概念的转换

宋人郑樵《通志》把《山海经》与《神异经》、《异物志》并列为"方物"类著作，已经开始把它当做志怪了。明胡应麟和清四库馆臣正式把《山海经》确定为"语怪之祖"和"小说之最古者"。小说家言，即街谈巷议之类，内多无稽之谈。所谓"语怪"云云，所谓"小说家异闻之属"云云，都是把《山海经》当做志怪小说看待。尽管古代小说概念与今日小说概念不同；但是古代志怪小说的概念与现代虚构小说概念之间的转换是顺理成章的。这样，《山海经》的神话内容进入文学史的条件就成熟了。茅盾《中国神话研究 ABC》最能显示《山海经》如何从"小说家言"转化为"神话记录"的过程。茅盾认为中国古代没有"神话"概念，所以古代学者一直把《山海经》理解为地理书，陈陈相因。茅盾盛赞胡应麟：

大胆怀疑《山海经》不是地理书的，似乎明代的胡应麟可算是第一人。

胡应麟说《山海经》是古今语怪之祖，是他的卓见。他推翻了自汉以来对于此书之成见，然而尚不能确实说出此书之性质……清代修《四库全书》，方正式将《山海经》放在子部小说家类了。这一段《山海经》的故事，就代表了汉至清的许多学者对于旧籍中的神话材料的看法。他们把《山海经》看作实用的地理书，固然不对，他们把《山海经》视为小说，也不算对。他们不知道这特种的东西所谓"神话"者，原来是初民的知识的积累……

鲁迅《中国小说史略》不仅把《山海经》列入小说史的开篇，而且探讨了《山海经》的文学史影响，指出署名东方朔的《神异经》、《十洲记》都是模仿《山海经》之作。后来的文学史基本都把《山海经》作为最重要的神话记录和志怪小说鼻祖加以叙述。由于这已经是常识，此处不赘。

1932 年，郑德坤的长篇论文《〈山海经〉及其神话》曾经总结现代神话学对于《山海经》的一般研究结论："西洋的文化东渐后，中国的学者纷纷以整理国故，保存固有文化为己任。整理古代神话当然也是这大工作中的一部分。他们研究的结果以为《山海经》是一本重要的神话记载。"

至此，《山海经》被一批现代学者确定为神话著作，而不是地理志，或其他。

4. 袁珂对《山海经》的神话学解读

袁珂将现代神话学对于《山海经》的解说全面贯彻、落实在经文的解读之中。由于《山海经》原本是一部远古时代的地理学著作，出于某种目前尚无法完全确定的因素而包含了大量的神怪内容，并以此闻名于世。袁珂秉承鲁迅观点，认为《山海经》是一种巫书，故其中多有神灵及其祭祀仪式之描述。在全力研究《山海经》神话的时候，袁珂不像茅盾、郑德坤那么

极端，他不完全否定《山海经》的地理志属性。其《山海经校注·序》云："《山海经》非特史地之权舆，乃亦神话之渊府。"但是，他又认为"史地之权舆"是虚的，是神话处在多学科综合体混沌形态中带有神话色彩的史地形象。只有神话才是《山海经》的本质，所以号称"神话之渊府"。所以，袁珂完全从神话学立场解读《山海经》，基本忽略了其中的地理因素。

不过，从神话学角度研究《山海经》存在困难，因为《山海经》中完整的神话叙事只有夸父逐日、刑天舞干戚、精卫填海、黄帝蚩尤之战、后羿射日、鲧治水、大禹冶水等。其他都只是片段。而古代旧注受传统史学影响，务实者多，务虚者少。虽然郭璞、杨慎曾经从神怪方面有所解说，但是颇受正统学者非议。现代神话学欲全面论证《山海经》的神话价值，必须从神话角度重新阐释它。作为中国20世纪最著名的神话学家和《山海经》专家，袁珂承担了这一任务。其《山海经校注》是清代以后第一部完整的《山海经》注本，专门从神话角度解释此书。

如《海内经》云：建木"其实如麻，其叶如芒，大皞爰过，黄帝所为"，其中"大皞爰过"一句，郭璞、郝懿行都解为庖羲经过树下。袁珂参考《淮南子·地形训》"建木在都广，众帝所自上下"，并取《山海经》其他神巫上下于天的内证，说明实际应是庖羲上下于天的意思，并判断建木就是古代神话中的天梯。

又如，《大荒西经》中"帝令重献上天，令黎印下地"一句，谈的是重、黎绝地天通。此事，古代正统经典或把"天

地"解释为天神与地祇，或解释为天神与百姓，把"绝地天通"解释为断绝天神与地祇、百姓与神灵之间的沟通。《尚书·吕刑》云：蚩尤作乱，苗民弗用灵（命），以致无辜百姓被杀，社会道德沦丧。"（上帝乃）命重、黎绝地天通。"正义云："重即羲，黎即和。尧命羲和世掌天地四时之官，使人神不扰，各得其序。是谓绝地天通。言天神无有降，地祇不至于天，明不相干。"《国语·楚语》也涉及此事："昭王问于观射父曰：'《周书》所谓重、黎实使天地不通者何也？若无然，民将能登天乎？'对曰：'古者民神不杂……及少昊之衰也。九黎乱德，民神杂糅……颛顼受之，乃命南正重司天以属神，命火正黎司地以属民，使复旧常，无相侵渎，是谓绝天地通。其后，三苗复九黎之德，尧复育重、黎之后，不忘旧者，使复典之。以至于夏、商，故重、黎氏世叙天地，而别其分主者也。"昭王的怀疑是有神话背景的，但是被观射父否定了。观射父把绝地天通解释为重、黎分掌天地，使神、人关系恢复旧常。但是，三国韦昭注云："言重能举上天，黎能抑下地，令相远，故不复通也。"韦氏似乎同意昭王的看法。但，他们的意见并不为正统经学家们同意。郭璞《山海经》注一贯被视为"好言怪异"，但是郭注前文云："古者人神杂扰无别。颛顼乃命南正重司天以属神。命火正黎司地以属民。重寔上天，黎寔下地。献、卬，义未详也。"袁珂大约受到《国语》昭王问和韦昭注的启发，把"献"解释为"举"，把"邛（卬）"解释为"印"，"印"即是"抑"，讹误为"邛（卬）"。于是，《山海经》中绝地天通就是人不能上下于天。

经过袁珂的努力，《山海经》中绝大部分的神话片段都得到了系统化的神话学解说。《山海经》作为文学经典的神圣地位在现代学术史上最终得以确定。现代所有的《中国文学史》都把《山海经》作为保存中国神话最多的经典看待。

5. 对《山海经》神话的其他解读

台湾学者杜而未《山海经神话系统》撇开经文中古代地理和历史文化问题，专门研究其中神话和宗教问题。他认为：《山海经》不是地理书，书中地理描写全是神话。他推论："经中的月山、月神、以及无数的草木鸟兽虫鱼等都是一个神话系统，都属于一个月山神话的范畴。"他提出这种观点的起因是人类学资料中常常有各种月亮神话，所以，当他发现《山海经》中有光山、涿光之山、谯明之山、员山、"员丘"时，就认定："山是光、员的，所以是月山。"经文中"颛顼死即复苏"，被解释为"颛顼是将消失之月，颛顼自己复苏，或复苏者是颛顼之子，都指的是新生的月亮，或新生后渐渐发展起来的月亮（上弦）"。又根据后代其他书所云毕方鸟主寿，推测此鸟为"下弦月形"。按照这种解释，《山海经》绝大部分奇异内容都被看做对于月相的神话描写。杜而未的说法可能是受到国际学术界的太阳神话理论和月亮神话理论的启发。在杜而未看来，《山海经》中"山川的道里数偶有几处与实际相合的，这定是古代作者在神话中偶然利用了些实际上的情形，但总是少数的。反过来说，也可能有些实际的山川，从《山海经》取了名称的"。在历代否定《山海经》地理属性的各种说法中，杜而未的说法是最极端的。其说曾经一时轰动，但是由于作者回避历史地理问题，所以证据缺乏，今已逐渐失去学术影响。

张岩认为《山海经》是对于原始社会的象征性描写，实际上是力图超越所谓的神话表象，探索其背后的真实历史，即把《山海经》神话复原为古代历史。为简洁，此处只以其对于《山经》的分析为例。他首先假定《山经》"……鸟兽鱼虫的基本成分，是指天子级政权下属的原始群体的图腾徽号以及图腾祭牲等。……其中的草，是指为一些原始群体所拥有的作为宗教性献祭物的草。其中的木，主要是指一些原始群体的社木"。然后由此推出一个结论：《山经》作为一个连山和连水的结构，同时也是一个原始政权的结构。其中四百四十七座山就是上古文明政权结构中四百四十七个相同级层的政权单元。由于其基本假定是空言无据的，所以其结论不可靠。

随着月亮神话理论的衰微和图腾理论在世界学术界的被抛弃，以及20世纪90年代以后中国学术界的成熟，此类完全推测性的理论已经很难为当代学人接受了。

（三）把西方文化参照系引入《山海经》研究的学术合法性问题

当我们为现代《山海经》学摆脱了古代正统思想的束缚、获得长足进展而欢欣鼓舞的时候，是否冷静地注意到：随着《山海经》作为中国神话第一经典地位的确立，又一种新的学术话语霸权也逐渐形或了。在神话学界，《山海经》学术史上所有肯定《山海经》的人都成为功臣，而批评者则沦为非毁经典的罪人。这促使笔者对于中国现代学术引入西方文化价值观评论中国经典的研究方法提出质疑。

《山海经》在现代文化体系中的经典地位主要是由神话学引入西方文化参照系而确定的。这种重新阐释经典的学术活动充满了意识形态的热情。梁启超、蒋观云、鲁迅、茅盾、袁珂，几乎都是怀着重建中国文化的雄心从事于神话和《山海经》研究的。所以，当他们发现现有的西方学术术语、价值观和研究模式可以直接用来"发现"《山海经》新价值的时候，马上全面接受，并据以塑造了《山海经》的经典地位。

从新文化运动的立场来看，从学术的"经世致用"目的看，现代的《山海经》神话学研究无疑是成功的。它确立的学术研究范式至今依然发挥着作用。在新文化的话语体系中，由于内在价值观的直接支持，这种研究范式简单易行，所以很快风靡学界。《山海经》作为神话经典的地位的确立，从中国新文化建设的实际需要看，当然是合法的，因为在以西方文化作为参照系的中国现代文化体系中的确需要一部集中进行超自然叙事的经典。否则，中国现代文化体系就将陷入先天不足的局面，无法与西方文化体系平等对话、沟通，无法在西方文化霸权之下建立我们的文化自信。在这方面，《山海经》的神话学研究的确出色地完成了自己的文化使命。

但是，从纯学术的"实事求是"目的来看，《山海经》的神话学研究存在着一些弱点，其学术合法性存在一些疑问。

首先，直接引入西方文化的价值观和研究模式来评价中国传统文化典籍是一种跨文化的比较研究。这种研究应该对其比较基础加以深刻清理才能付诸实践，否则容易导致误解，这也是现代人类学竭力主张文化相对主义的原因。西方文化的价值观和研究模式是以该文化的历史实践为基础的，而中国传统文化的历史实践与之存在很大差别。直接引入西方观念而不顾双方历史实践之间的差异，结果当然无法确保其研究成果的科学价值。例如，现代学者抛弃中国古代正统儒学"不语怪力乱神"的旧价值观，以西方观念评价《山海经》神话的崇高价值，是一种全新的研究策略。但是，如果无人注意所谓"语怪"在中国古代文化体系之中的确没有起到希腊神话、基督教神话在西方文化史上所起到的那种巨大作用，那就无从正确理解古代《山海经》学的许多问题。这里仍然存在着关于套用其他文化模式时的合法性问题。希腊神话、基督教神话的地位是以其在历史上真实发生的影响为依据的。古代希腊人的确对于奥林匹斯诸神崇拜有加，中世纪欧洲人对于上帝也忠诚不二。中国《山海经》神话内容在古代被贬斥为"语怪"，也和它当时实际的社会功能相一致。《山海经》的最初意义是自然与人文地理志。而在历史上，它虽然也起到一定的地理志功能，受到一些地理学家的赞扬，但是一般情况下，《山海经》都是被人们当做谈资存在的。《山海经》对屈原有巨大影响，不过从《天问》看，屈原并不相信其中神话。被视为《山海经》神话的文学史影响重要例证的还有陶渊明《读〈山海经〉十三首》，以及后代文人的一系列唱和之作。可是陶渊明实际上是把《山海经》当做隐居生活中的一个消遣而已，所以，《其一》云："泛览周王传，流观山海图。俯仰终宇宙，不乐复何如？"《其十》在引述了精卫、刑天"猛志固常在"以后，感慨的却是

"徒设在昔心，良晨讵可待？"意思是徒然设下死后的想法，复活哪能盼到？或者是徒然设下雄心，何时才能实现理想？无论哪一种理解，都是怀疑的态度！并非是发奋，不过语怪而已。研究者通常只引用前四句来证明神话影响，但都放弃后四句。这种做法表面上只是忽略了作者谈论神话的语境，实际上是故意忽略了神话在中国古代文化体系中的实际作用。志怪小说是《山海经》神话影响的又一例证。现代社会对于小说十分重视，志怪小说的地位也提高了。可是，志怪小说，包括所有"小说"在中国古代文化体系中地位一直不高。上述各种高度评价《山海经》神话意义的学说，都是直接引入西方神话学价值观来评价中国神话必然发生的理论与研究对象之间的价值错位现象——在他们看来，中国古代对神话评价太低，仿佛大多数古代学者都是不懂神话的，误解神话的。今天的学者如果对此种价值错位现象缺乏自觉，就容易厚诬古人。引人异文化模式需要首先思考双方的可比性基础，否则其合法性就值得怀疑。现代学者出于建设中国新文化的目的，几乎都无暇顾及对这一套来自西方人类学的新学术模式进行反思，只是一味地套用。当然，这并不意味着其研究成果的完全无效，只是其研究结论的科学性应该受到质疑，其作为真理的意义是相对的，而不是绝对的。

又例如，现代学者抛弃了中国传统历史观，直接套用进化论的历史发展模式，否定胡应麟关于"《山海经》专以前人陈迹附会怪神"的论断，认定《山海经》的语怪是一种原始性的表现。这当然是一种发展，取得了一定的成功。但是，普遍模式不能代替具体研究。在没有足够的具体实证说明《山海经》的语怪的确早于古史系统之前，这种研究只是以一种模式代替了另一种模式而已，尽管其中一种模式看起来也许比另一种模式更好一些。因为：从理论上来说，古史有可能从神话演变而来，正如古史辨学派所云；神话也有可能从历史生发而来，正如潜明兹先生所云。学术界过于迷信古史辨学派的理论，对于潜明兹的研究不够重视，这是不恰当的。在针对具体问题进行研究时，不能只有一般逻辑推理，还必须有具体证据。这是学术研究应该坚持的原则。

总的看来，对于《山海经》所展开的神话学研究在很大程度上是一种社会文化潮流。《山海经》作为"神话之渊府"经典地位的确定是在中国文化现代化潮流之下进行的一种文化重建。所以，其学术活动的意识形态色彩相对较浓，其客观性的学术反思色彩较淡。

没有足够的学术自觉，就无法深入理解任何一种学术模式的内在依据。其研究深度必然受到限制，并因而陷入学术创新能力的缺乏。当这种学术模式陷入危机的时候，也就无法摆脱危机。

（四）结语

本书对《山海经》的流传历史进行了概略性的考察，针对《山海经》的性质、作者和篇目等重大疑难问题进行考证，提出了自己的看法。在尽量可靠的基础上对历代学者的《山海经》研究，即《山海经》学术史进行了全面研究和评论，并总结了各历史阶段《山海经》研究的学术特点。

《山海经》是周代一部自然与人文地理志。由于当时知识形态的特殊性造成其中含有大量超自然的内容，呈现出客观知识和主观想象混合的复杂情况。而秦汉以后的中国社会结构和知识形态发生巨变，开始出现完全真实的地理著作《河渠书》、《地理志》等。到南北朝时代，地理学完全成熟、独立。后世独立的地理学与《山海经》时代的地理学之间存在巨大矛盾。而身处这个对立面之中的学人们，困扰于自身观念和认识对象之间的矛盾冲突，力图用自己的智慧去发掘、认识《山海经》的性质、价值和意义。

古代《山海经》学一直受到儒家思想的强烈影响。孔子的不语怪原则和博学原则交替发生作用，使得学界一直处于矛盾、对立之中。否定《山海经》的学者，往往强调《山海经》中的虚幻因素，坚持不语怪。而肯定者则竭力强调其中的写实因素，即使承认有怪，但是也从君子博学的原则予以辩护。

以《汉书·艺文志》为代表的一派学者肯定《山海经》的地理描述，把它视为地理志第一。代表人物有郦道元、《隋书·经籍志》作者、王应麟、吴任臣、毕沅、吴承志、陈逢衡和现代的顾颉刚、徐旭生、谭其骧、郭郛等。这一派学者在多数情况下居于主流地位。然而，《山海经》的实际地理学价值受到自然变迁和人文历史沿革的影响，不能很好发挥作用，从而限制了此派的学术影响力和社会影响力。

以刘歆《上〈山海经〉表》和郭璞《山海经注》为代表的一派学者全面肯定《山海经》所有内容均为事实。如刘安、东方朔、刘向、张华、郭璞、杨慎、毕沅等。其中刘歆、杨慎、毕沅等人主要根据大禹治水传说立论肯定。毕沅把《山海经》中怪物全解释为读者的误解。而张华、郭璞多从道家思想立论肯定。他们即使承认《山海经》存在怪物，也多从儒家"君子博学"的原则为其辩护。

另一些学者则根据《山海经》的想象内容而判定全书"百不一真"，并从儒学"不语怪"的教条出发而程度不一地持否定态度。如王崇庆、胡应麟、四库馆臣等。但是，随着明代叙事文学的发展，小说渐渐得到肯定。胡应麟称《山海经》为"古今语怪之祖"，并非全盘否定。

现代神话学者也强调《山海经》的虚幻内容。但是，他们是从神话学立场重新肯定神怪描写在当时社会条件下的合理性和思想真实性。如茅盾、鲁迅、袁珂等。这些学者虽然立场不同，但是都有意无意地忽略了《山海经》的地理志功能。表面上似乎失之偏颇，实际上反映了《山海经》在秦汉以后社会真实发生的主要影响在于其中神怪。《山海经》地理学意义的影响力，远远不及其志怪称奇意义的影响力。

历代学者实际上是根据各自时代的条件与需求，以及个人学术专长与偏爱，分别针对《山海经》中真实与幻想相互交织的情况而设论。一部《山海经》学术史实际上成为中国裨一思想发展历程的一个侧面的记录。巫术神道、儒家经学、道家玄学和神仙学、文学、现代西方哲学、社会学都在《山海经》学术史上留下了各自的印记。《山海经》在历史上先后被视为形法家书、地理书、道教经典、小说书、巫书、神话集、月山神话书、民俗志书、氏族社会志、地理志兼旅行指南、百科全书等等。这些评价是历代学者根据所处时代的社会思潮和《山海经》在当时的实际影响所作的判断。当然，各种解说都自有其道理，有其存在的合理性；不过从实事求是的立场看，有些解说是比较符合《山海经》原始性质的，有些则只是针对其部分内容设论，难免有些偏差。这种教训是值得当今学者认真汲取的。

　　一部《山海经》在中国文化发展历史上凭借其多方面的内容，因应不同时期的社会需求，发挥了多方面的影响。《山海经》对中国文化的发展具有多方面的影响力。中国历史上第一奇书的称号，非《山海经》莫属。

第二十一卷 《山海经》的地理大发现

动物的生存信息地图

　　人类是由动物进化而来，因此人类的许多行为，都可以追溯到动物身上。例如，人类的生命智力，就可以追溯到动物的生命智力。有鉴于此，我们在解读《山海经》记录的远占人类如何获得生存资源的行为时，有必要先了解一下与之相关的动物行为。

　　生命智力是生命体的一种极其重要的生存能力，其核心特点就是能够使用间接信息达成期望效应。事实上，许多动物都表现出令人惊讶和叹服的生命智力，例如蝙蝠能够用超声波定位，捕捉到小小的蚊虫；其中，超声波信号就是蝙蝠使用的间接信息，而捕捉蚊虫就是蝙蝠要达成的期望效应。

　　对于绝大多数动物来说，它们都拥有自己的生存信息地图。生存信息地图的主要内容包括：什么地方什么时候有食物（包括水、盐类、药类），什么地方什么时候有危险（灭敌、地质灾害），什么地方什么时候可以找到配偶，等等。蚁群的侦察蚁在发现食物后，会在返回途中留下相应的化学信息用以标记路线，并使用某种间接信息（相当于动物语言）告诉其他蚂蚁什么地方有多少食物。蜂群的侦察蜂在发现花蜜后，它的生存信息地图能够引领它正确地返回蜂巢，并使用某种舞蹈（实际上还有携带的花粉样品）告诉其他蜜蜂什么地方有多少花蜜。

在中国传统文化里，人们不大喜欢乌鸦。其实，乌鸦的智商在鸟类世界里处于领先地位。美洲大陆有一种乌鸦，在食物充足的时候，会把食物分别秘藏在几千个地方；当食物匮乏的时候，能够准确地把先前秘藏的食物逐一找出来。显然，在乌鸦的头脑里，储存着一份信息量相当大的秘藏食物分布图。类似的情况也存在于其他动物身上，例如灵长类动物知道什么地方在什么时候有什么果实成熟（它们还知道许多种能够治疗疾病的草药），食草类动物知道什么地方有可口的青草，食肉类动物知道什么地方有容易捕食到的猎物。

许多动物都有远距离迁徙的习性，而迁徙的主要目的是获得食物或繁衍后代。栖息在北美洲加拿大的美丽的帝王蝶黑脉金斑蝶，通常会在 8 月至初霜时向南迁徙到墨西哥湾一带过冬，并于来年春天向北回归，其栖息距离远达数千千米。每年的秋天，大大鹅都会从西伯利亚栖息地飞行 9000 千米来到中国的鄱阳湖过冬，因为鄱阳湖湿地有着丰富的食物。某些鲸鱼为了获得遥远海域的食物，不惜在海洋里长途跋涉上万千米。大马哈鱼为了传宗接代，宁可一路上不吃不喝从海洋千里迢迢游回自己当年出生的淡水河流的上游产卵排精繁育下一代；与此同时，大棕熊则准时来到大马哈鱼必经之河道，因为它们知道在这个季节这里会有丰盛的高营养含量的食物，这些送上门的食物对它们越冬乃是至关重要的。为了远方的水和草，非洲大陆上的角马、斑马、野牛组成的迁徙队伍，更是浩浩荡荡。

　　大量事实表明，为了生存，无论是昆虫类动物，还是鱼类、鸟类、哺乳类动物，它们都需要拥有各自的生存信息地图。因此，我们有理由认为，自从人类诞生的那一天起，在人类的大脑里便形成了一幅幅生存区域资源图，而这张图的内容也在不断地修改和补充。与此同时，人类不仅在头脑里拥有自己的生存信息地图，而且随着人类生命智力水平的不断提高，人类逐渐能够把头脑里的生存信息地图画在石头上、树皮上、皮革上、木版上、泥版上、墙壁上，以及丝绸上、纸张上——它们被称之为地图。

地图的历史

秦王政二十年、燕王喜二十八年（公元前 227 年），燕太子丹派荆轲入秦，以献燕国地图的名义进见秦王嬴政，欲乘机刺杀嬴政，结果功亏一篑，荆轲被杀死在秦王殿上。正所谓：荆轲刺秦王，图穷匕首现；有志于天下，冒死来相见。荆轲冒死来刺秦王，秦王冒死接见荆轲，双方都是为了天下，而媒介却是一幅地图——可见地图具有一种不可抗拒的力量。

至于人类绘制地图的历史，西方学者认为是古埃及人约在公元前 3000 年前绘制了最早的地图。占巴比伦人大约在公元前 2300 年前绘制的地图，其载体是泥版，用的工具是木制的尖笔，内容是房屋图（包括所有者的姓名）、街道图、居民区图，具有证明房屋所有权的性质。

对比之下，古中国人绘制地图的历史同样或者更为悠久。在我们祖先的记忆中，伏羲、女娲乃是人文初祖，相传他们分别手持规和矩，那正是测量绘图的工具或仪器。在民间传说里，女娲曾用绳子沾泥土造人；为什么会特别提到绳子呢？原来拥有绳子乃是具有特殊身份的象征，因为绳子是测量长度的工具；在古代埃及，丈量土地的人被称为"持绳者"；汉字"巫"也

有学者解释为两个人手持直角尺和绳子在进行测量工作。

事文上，在中国古代的社会管理结构或国家管理体制中，设立专门掌管地图的职务乃是一种源远流长的传统。明代学者陈耀文在《天中记》卷七引《元命苞》称："神农氏，怪义生白阜，图地形脉道。"注曰："怪义，白阜母名。白阜为神农图画地形，通水道之脉，使不壅塞也。"如果记载是可靠的，那么在神农时代已设有国家测绘局局长一职，并归水利部管辖。

《古三坟·地皇轩辕氏政典》记有："太常，北正。尔居田制，民事尔训；尔均百工，惟良。山川尔图，尔惟勤恭哉！"据此可知，轩辕黄帝时期的太常负责绘制、管理山川资源地图的工作。《轩辕本纪》还记有神兽白泽的故事："（黄）帝巡狩，东至海，登桓山，于海滨得白泽神兽，能言，达于万物之情。因问天下鬼神之事。自古精气为物、游魂为变者凡万一千五百二十种，白泽言之；帝令以图写之，以示天下。"从今天的角度来看，白泽图相当于民族或部落分布图（其中也包括植物和动物分布图），显然是有其实用价值的。

有趣的是，今日河南孟津县有一处名胜负图寺，那里供奉长着两个犄角的伏羲像，当地的老人说此地原来是汪洋大海，龙马负图的故事就发生在这里。《河南府志》记有："伏羲时，龙马负图于河，背有文：一六居下，二七居上，三八居左，四九居右，五十居中。伏羲则之以画八卦。《三坟》词曰："惟天至仁，于革生月，天雨降河，龙马负图，实开我心。'河即今之黄河，在孟津县西五里，负图里是也。"后世相传龙马所负之图即易经八卦文化中的河图，那是一种数学矩阵结构，又像是天上的星座。其实，河图的最早涵义乃指黄河的地貌图或河道图，《尸子》称："禹理水，观于河，见白而长人鱼身出，曰：'吾河精也。'授禹河图，而还于渊中。"河精又称河伯，在先夏史中他既指黄河之神，又指居住在黄河两岸（今山西、河南、陕西交界处）的部落，类似的故事至今仍在河南省黄河附近地区的民间流传。进一步说，汉字"河"的字形实际上乃是最早的黄河水道图，"三点水"表示水流，"口"表示有人类居住，那一横一竖即河道的形貌（那个时代的人认为黄河发源于今日黄河前套地区，当时那里是一大湖泽）。如果我们仔细研究，相信还可以找到许多个具有地图性质的古汉字来。

与河图性质相同的还有洛书，长期以来它也是易经八卦文化中的一个核心符号；其实它最初也是指洛水的河道图，当年大禹治水时来到洛水之滨，有一只神龟从水中爬上岸来到大禹身旁，它的背上有一幅图被称为洛书，神龟献书的目的当然是为了帮助大禹治水。《楚辞·天问》："应龙何画？河海何历？"应龙所画的也应当是地图或施工标志图。《拾遗记》："禹尽力沟洫，导川夷岳，黄龙曳尾于前，玄龟负青泥于后。"所谓黄龙曳尾也是在画水利施工图或标出施工的路线。至于龙马、河精、神龟、应龙、黄龙、玄龟云云，则涉及古代的巫术活动。

《拾遗记》还记有一个古老的故事，当年大禹治水来到龙门，进入一个幽深的山洞里时，见到一位蛇身人面神，"神乃探玉简授禹，长一尺二寸，使度量天地，禹即执此简以平水土。

1492

蛇身之神，即羲皇也。"所谓玉简即测量长度的标准尺，所谓蛇神（伏羲）授禹玉简则是一种具有巫术色彩的确定标准尺的仪式。这里有必要指出的是，在古代，科学活动往往要披上巫术的外衣，而在现代，巫术活动则千方百计打着科学的招牌。此外，《中国地方风物传说选（二）·大禹取〈水经〉》记有大禹在太湖地区治水时，在林屋洞里获得名为《水经》的书三卷，一卷为河道图，一卷为山脉图，一卷悉为弯曲难识之古文。今日安徽怀远县涂山南 5 里有一个名叫"禹会村"的村庄，传说大禹曾在这里召集各地首领开会计议如何治水，原有禹帝行词，苏东坡《濠州七绝·涂山》诗称"樵苏已入黄熊庙，乌鹊犹朝禹会村"。涂山上古有禹王宫（又称禹王庙、涂山祠），登临其上，涡水、淮水，尽收眼底。上述来自远古的信息，当然也值得我们今天认真去解读。

　　《周礼·夏官司马–职方氏》记有："职方氏掌天下之图，以掌天下之地。辨其邦国、都鄙、四夷、八蛮、七闽、九貉、五戎、六狄之人民，与其财用、九谷、六畜之数要，周知其利害。"也就是说，在周朝的政府机构中专门设有职方氏一职，负责掌管国家的国土资源，以及各地的经济情况，类似今天的国土资源部部长一职。其下属土训掌管各地区的地图及物产，诵训负责历史地理沿革的研究，丱（音惯，束发成两角状）人负责矿产的勘查并绘制成矿产分布图供开采者使用。根据《周礼》的相关记载，职方氏的上司是大司徒，而大司徒的职责之一正是"掌建邦之土地之图"。

　　令人遗憾的是，由于中国早期地图采用的物质载体不易长久保存，因此我们今天能够见到的早期实物地图少之又少。据苏北海《新疆岩画》（新疆美术出版社 1994 年版）一书，在新疆天山山脉巴里坤等地发现了地图岩画、水利图岩画和水流图岩画，时间约在公元前 1000 年前后，或许它们就是我国现存最古老的实物地图了。

先夏时期中国人的
地理大发现

如果说动物的迁徙是一种地理大发现的话，那么人类的地理大发现就可以追溯到人类诞生的那个年代。人类诞生的最明确的标志应该是火的使用，火的使用实际上是让人类在动物世界里拥有了一种战无不胜、所向披靡的武器。在火把的引领下，以及人类发明的木器、石器、骨器和弓箭、渔网等捕猎工具的帮助下，人类开始走出自己的栖息地，一步步向着一切能够生存的地方扩展、迁居，而上述这种扩展、迁居的过程也正是地理大发现的过程。

大量事实表明，早在数百万年前中国人就生息在黄河、长江流域及其周边地区，早在数万年前中国人已经遍布亚洲东部广大地区，并且扩展、迁居到美洲和大洋洲地区，同时也与亚洲西部、欧洲、非洲的居民有着频繁的相互来往。其中，有文字记载的先夏时期中国人的地理大发现，发生在帝禹时期（约公元前3000—前2070年）。帝禹时期是中国历史上非常重要的一个发展阶段，其代表性重大事件，一是治理洪水，二是划分九州，三是进行了人类历史上最早最大规模的生存资源考察。对比之下，在同一时期，古埃及人正在为法老修建金字塔式陵墓。

令人高兴的是，已经有越来越多的学者开始把大禹治水的传说当做历史来认真对待了。我国著名的考古学家苏秉琦先生在《中国文明起源新探》（三联书店 1999 年版）中指出："考古工作证明，沿京汉线与陇海线的邯郸——武功间至少有三处，在距今四五千年间发现过洪水的遗迹现象：一是邯郸，二是洛阳，三是武功……与传说《五帝本纪》后半的尧舜禹从洪水到治水，从治水不成功到成功的时期大致吻合。所以，中原地区的文明要从洪水到治水谈起。"

值得注意的足，我国（同时也是世界）最早的大规模的地理考察测绘活动正是发生在大禹治水时期及其之后，《山海经》、《列子》、《吕氏春秋》、《淮南子》等古籍均有记述。《山海经·五藏山经·禹曰》称："天下名山，经五千三百七十山，六万四于五十六里，居地也。言其五藏，盖其余小山甚众，不足记云。天地之东西二万八千里，南北二万六千里；出水之山者八千里，受水者八千里；出铜之山四百六十七，出铁之山二三千六百九十。"这里"经"字的意思是"考察经历"，"五藏"的"藏"字乃是"宝藏"之意；考虑到与《山海经》其他篇章名称的相关性，或许《五藏山经》的书名原本应是《山藏五经》。

《山海经·海外东经》记有："帝命竖亥步，自东极至于西极，五亿十选九千八百步。竖亥右手把算，左手指青丘北。一曰禹令竖亥。一曰五亿十万九千八百步。"郝懿行注引刘昭注《郡国志》云："《山海经》称禹使大章步白东极至于西垂，二

亿三万三千三百里七十一步；又使竖亥步南极北尽于北垂，二亿三万三千五百里七十五步。"

《淮南子·地形训》亦称："禹乃使大章步自东极至于西极，二亿三万三千五百七十五步；使竖亥步自北极至于南极，二亿三万三千五百七十五步。"

上述记载表明，帝禹时代曾进行过大地测绘工作。主持上述测绘工作的工程师是大章和竖亥，古代有用职务作为人名的习惯，大章即绘大图者，竖亥即竖立标杆测量者。算，古代的计算器。巫字，其形象是两人持绳测量，又像两人上下于天。相传禹因腿疾而走路的步伐特殊，被称为禹步，巫者多学禹步。其实，步乃丈量用具，一步长六尺（秦汉时一尺折合现在的0.231 米），其形若弓，即将两根直杆一端衔连住，另一端连接一条六尺绳，用者撑开两根直杆即得六尺，然后一杆支地并转身将另一杆移到下一点又得六尺，这种测量步伐才是禹步的本意。《禹贡》称："禹敷土，随山刊木，奠高山大川。"意思就是说，帝禹时代进行的丈量国土工作，是沿着山脉进行测量，竖木为标志，从而在地图上确定高山和大江大河的位置。

《吕氏春秋·求人》记有："禹东至榑木之地，日出九津、青羌之野，攒树之所，扺天之山，鸟谷、青丘之乡，黑齿之国。南至交阯、孙朴、续橢之国，丹粟、漆树，沸水漂漂，九阳之山，羽人、裸民之处，不死之乡。西至三危之国，巫山之下，饮露吸气之民，积金之山，共肱、一臂、三面之乡。北至人（令）正之国，夏海（晦）之穷，衡山之上，犬戎之国，夸父之野，禹强之所，积水、积石之山。不有懈堕，忧其黔首，颜色黎黑，窍藏不通，步不相过，以求贤人，欲尽地利，至劳也。得（皋）陶、化（伯）益、真窥（直成）、横革、之交五人佐禹，故功绩铭乎金石，著于盘盂。"《吕氏春秋·慎大览》还记有："禹之裸国，裸入衣出。"《战围策·赵策》亦称："禹祖入裸国。"

根据《山海经》、《吕氏春秋》等文献的记载，帝禹亲自主持实施了人类历史上最早和最大规模的国土资源和远方异国分布的普查活动，他和他的团队，跋山涉水、不辞辛劳，其主要目的是"以求贤人，欲尽地利"，一是获得人才，二是获得资源。在这次大规模的国土资源和远方异国分布的普查活动中，帝禹亲自挂帅．具体的工作则由当时的山林环境大臣伯益操持，而大量的测量绘图工作则由工程师竖亥和大章负责实施；其主要成果便是撰写了国土资源普查报告《五藏山经》，并绘制了相应的《山海图》。

相传帝禹时代绘制的《山海图》，其图案曾被帝禹铸造在九鼎之上。《左传·宣公三年》记有："昔夏之方有德也，远方图物，贡金九枚，铸鼎象物，百物而为之备，使民知神奸。故民入川泽山林，不逢不若，魑魅魍魉，莫能逢之。用能协于上下，以承天休。"《史记·封禅书》亦称："禹收九牧之金，铸九鼎，皆尝亨（烹）鬺上帝鬼神。"可惜九鼎已在春秋战国时期失传（也有可能被王子朝秘藏地下）。如果说《山海图》的失传是一项巨大的文化损失，那么《五藏山经》能够流传至今则堪称人类文明的大幸或奇迹；因为它记录了人类最早的规模最大的地理地图测绘和资源普查工程，这足中华民族的骄傲，也是人类的骄傲。

《五藏山经》记录的生存资源

遥想当年，帝禹时代的国土资源考察队从中原出发，分赴东南西北四方，他们由近及远，由中心向外地，依次测绘山川大地、记录各地物产和部落活动，历经多年，终于汇总天下资源，撰写出国土资源考察白皮书《五藏山经》。

《五藏山经》将华夏大地（准确说应是帝禹王朝统治的地区，以及势力范围所达到的地域和：号察工作所能实施的地方）划分为五大区域，分别称之为《南山经》、《西山经》、《北山经》、《东山经》和《中山经》。这五个地区又细分为 26 条山脉，其中《南山经》有 3 条山脉，《西山经》有 4 条山脉，《北山经》有 3 条山脉，《东山经》有 4 条山脉，《中山经》有 12 条山脉。每条山脉所包括的山数量不等，多的有四五十座山，少的仅有五六座山；这些基本上是按照自然走向进行记述的，因此不一定都属于行政区划。

大体而言，《五藏山经》记述的地理区域，西起今日的新疆天山山脉，东至黄海、东海诸岛屿（可能抵及日本鹿儿岛）；北起蒙古高原（可能抵达贝加尔湖），南至今日的广东、福建和台湾海峡等南海海域。有趣的是，《五藏山经》记述的地理区域有一个地理中心点，它位于渭水与黄河的交汇处，亦即今日的潼关附近，《西山经》、《北山经》和《中山经》有七八条山脉都是以此为起点开始进行考察记录的。

值得注意的是，《东山经》第 3 条山脉的诸山之间都被海水分隔，表明它们是位于渤海、黄海、东海的一座座岛屿；其中前儿座山的位置，按照《五藏山经》26 条山脉"由近及远，由中心向外地"的规律，应该位于今日山东半岛的胶州湾至莱州湾一线上，但是今日这里都是陆地；然而在公元前 2200 年前至公元前 5400 年前，由于海平面比今日高，山东半岛被海水分隔，胶州湾至莱州湾一线均为海域。据此可知，《五藏山经》描述的地形地貌，符合 4200 年前亦即帝禹时代的自然景观。

进一步说，《五藏山经》共记述有 26 条山脉、447 座山，在同一条山脉中的诸山彼此之间都记录有准确的距离里数和明确的方位（但是在不同山脉之间却没有相互位置的直接说明），显然这是建立在实测基础之上的。我们之所以称《五藏山经》是一部国土资源普查报告，乃是因为它在记述每一座山的时候，不仅描述那里的自然景观和人文场景，而且特别注重当地有什么可资利用的物产或奇异的不寻常的事物。这是因为，《五藏山经》的撰稿人使用的是陈述句，即见到什么值得记录的事物便记述下来，有什么说什么。也就是说，当年的作者真正的意图是尽可能准确地记述各地的物产和那里的自然景观、人文场景；因此，他或他们不足普通的旅游者，也不是小说家或文学爱好者，而是有工作任务在身的国土资源普查员。

事实上，《五藏山经》是人类历史上最早、信息最丰富的

一部国土资源白皮书，其内容包括南部地区（南山经）、西部地区（西山经）、北部地区（北山经）、东部地区（东山经）、中部地区（中山经）五大区域共计26条山脉447座山，以及相关的水系258处、地望348处、矿物673处、植物525处、动物473处和人文活动场景95处。顺便指出的是，"五藏山经"原本应作"山藏五经"，意思是对东南西北中五大区域的资源考察。

我们前面说过，《山海经》乃是帝禹时代、夏代、商代、周代等先秦历代王朝记录生存资源信息的"国之重器"性质的秘藏文献档案，内容包括天文历法和气象资源、十富翔实的地理资源、富饶迷人的牛物资源、瑰丽奇异的人文资源。限于篇幅，下面重点介绍《五藏山经》记录的自然生存资源，主要有水资源、矿产资源、植物资源、动物资源、药物资源等。

（一）华夏先民的水资源

水是生命之源，中国先民非常重视生存环境中的水资源分布，这在《山海经·五藏山经》里有着充分的证明，即使粗略地翻阅《五藏山经》也不难发现这一点。事实上，《五藏山经》不仅记述有井泉、池渊、湖泊、沼泽湿地和海洋，而且特别注重记述河流的发源地及其流向，从而构成一幅幅清晰的水资源分布图。这里仅以《西山经》和《北山经》各自第1条山脉里的几座山为例：

《西山经》西次一经记有：

西四十五里，曰松果之山。灌水出焉，北流注于渭，其中多铜。

又西八十里，曰符禺之山，其阳多铜，其阴多铁……符禺之水出焉，而北流注于渭。

又西五十二里，曰竹山，其上多乔木，其阴多铁……竹水出焉，北流注于渭，其阳多竹箭，多苍玉。

又西七十里，曰䍙次之山，漆水出焉，北流注于渭。

又西百五十里，曰时山，无草木。逐水出焉，北流注于渭，其中多水玉。

上述西次一经的几座山，均有水系发源，并且均向北流入渭水，可以明确地判断它们均位于秦岭山脉南麓之中。

《北山经》北次一经记有：

又北四百里，曰谯明之山，谯水出焉，西流注于河。

又北三百五十里，曰涿光之山，嚣水出焉，而西流注于河。

又北三百八十里，曰虢山……伊水出焉，西流注于河。

又北四百里，至于虢山之尾，其上多玉而无石；鱼水出焉，西流注于河，其中多文贝。

又北二百八十里，曰石者之山，其上无草木，多瑶碧。泚水出焉，西流注于河。

上述北次一经的谯明山、涿光山、虢山、虢山尾、石者山等山，均有水系发源并且向西流入黄河，据此可知这几座山当位于今日山西省境内的吕梁山西麓；其中谯明山和涿光山，其名称里有"光"有"明"，可能即今日吕梁山山脉南端的火焰山（位于山西省吉县东）。

有趣的是，《五藏山经》的考察记录者，还注意到季节河

现象。《北山经》北次三经记有："又东北三百里，曰教山，其上多玉而无石；教水出焉，西流注于河；是水冬干而夏流，实惟干河；其中有两山，是山也，广员三百步，其名曰发丸之山，其上有金玉。"教山位于太行山山脉，教水就是一条典型的季节河。

除了季节河之外，《五藏山经》还记录有季节井泉。《中山经》中次十一经记有："又东市五十里，曰视山，其上多韭。有井焉，名曰天井，夏有水，冬竭。"《中山经》中次五经记有："又北十里，曰超山，其阴多苍玉，其阳有井，冬有水而夏竭。"超山位于今日中原地区的熊耳山、伏牛山一带，该山的井泉不仅是季节性的，而且还是反常规的，这种"冬有水而夏竭"的井泉并不多见，如果我们能够在熊耳山、伏牛山发现这样的井泉，既可证明《五藏山经》的真实性和准确性，同时也可进一步开发其矿泉水资源和旅游资源。

接下来，让我们一起去了解《五藏山经》时代的湖泊和沼泽湿地的情况。《五藏山经》记录有众多的湖泊、沼泽、湿地、水渊、海洋，其中《南山经》记述有 6 处湖泽，《西山经》11 处，《北山经》15 处，《东山经》12 处，《中山经》6 处，共计 50 处湖泽（由于存在同名的现象，统计数字可能有少许出入）。令人感慨的足，《五藏山经》里记载着的众多湖泊和沼泽湿地，特别是那些位于黄河流域的许多湖泊和沼泽湿地，今天已经大大地萎缩或者彻底干涸消失了。

《西山经》西次三经记有：又西北四百二十里，曰崟山，其上多丹木，员叶而赤茎，黄华而赤实，其味如饴，食之不饥。

丹水出焉，西流注于稷泽。其中多白玉。是有玉膏，其原沸沸汤汤，黄帝是食是飨。是生玄玉。玉膏所出，以灌丹木；丹木五岁，五色乃清，五味乃馨。黄帝乃取峚山之玉荣，而投之钟山之阳。瑾瑜之玉为良，坚粟精密，浊泽而有光；五色发作，以和柔刚；天地鬼神，是食是飨；君子服之，以御不祥。自峚山至于钟山，四百六十里，其间尽泽也。是多奇鸟、怪兽、奇鱼，皆异物焉。

根据"由近向远、由内向外、由中心向外围"的排序规律，由于《西山经》第1条山脉位于今日秦岭，据此可知《西山经》第3条山脉应该位于秦岭以北的地方。具体来说，西次三经记述的钟山和峚山，位于今日的黄河河套附近，属于阴山山脉。所谓"稷泽"，相当于今日的黄河后套地区（巴彦淖尔市）。所谓"自峚山至于钟山，四百六十里，其间尽泽也"，表明帝禹时代的黄河后套至前套（托克托县）一带密布水泽，然而令日它们早已荡然无存厂。

《北山经》北次三经记有：

又东北七十里，曰咸山，其上有玉，其下多铜；是多松柏，草多茈草；条菅之水出焉，而西南流注于长泽；其中多器酸，三岁一成，食之已疠。

又北百里，曰王屋之山，是多石；㳠水出焉，而西北流于泰泽。

又南二百里，曰景山，南望盐贩之泽，北望少泽。

又东二百里，曰虫尾之山，其上多金玉，其下多竹，多青碧；丹水出焉，南流注于河；薄水出焉，而东南流注于黄泽。

又东百八十里，曰小侯之山；明漳之水出焉，南流注于黄泽。

又北二百里，曰景山，有美玉；景水出焉，东南流注于海泽。

又北百二十里，曰敦与之山，其上无草木，有金玉；溁水出于其阳，而东流注于泰陆之水；泜水出于其阴，而东流注于彭水；槐水出焉，而东流注泜泽。

又北三百里，曰维龙之山，其上有碧玉，其阳有金，其阴有铁；肥水出焉，而东流注于皋泽，其中多礨石；敞铁之水出焉，而北流注于大泽。

又北水行五百里，至于雁门之山，无草木。又北水行四百里，至于泰泽。

北次二经是《北山经》的第 3 条山脉，其地理范围涉及今日的王屋山、太行山、燕山和七老图山等山脉。在上述地区，除了山西省南部尚有盐泽、河北省尚有白洋淀、内蒙古尚有若干湖泽之外，北次三经记载的众多湖泊沼泽基本上都消失了。

此外，《山海经》还记有许多被称之为"海"的地方或地貌景观，这些"海"既有海洋，也有湖泊，有时还指广阔的不毛之地、遥远的地方或众多的事物。这种对"海"的观念，一直延续到今天，例如"海外来客"、"海内存知己"、"四海为家"、"瀚海"、"沙海"、"煤海"、"人山人海"、"文山会海"等等。

中国先民相信，华夏大陆的四周都是海域，并分别将其称之为东海、南海、西海和北海。其中东海相当于今日的太平洋，南海相当于今日的印度洋和部分太平洋，西海泛指遥远西方的水域，北海泛指遥远北方的水域。

（二）华夏大地的矿产资源

生命的一大特点就是能够利用身外之物来实现自己的生存欲求，例如植物能够利用阳光、空气、水、无机盐等等身外之物。动物不仅能够利用身外之物，还会使用身外之物，如燕子会衔泥建巢，喜鹊会叼树枝建窝，海獭会用石头敲开蚌壳，黑猩猩会用细木棍深入蚁穴黏出蚂蚁吃。对比之下，人类则是一种特别擅长使用身外之物和制造身外之物的动物，为此人类特别关注生存领域里一切可资利用的身外之物，并逐渐发现了多种多样的矿产资源。事实上，掌握丰富的矿产资源信息，对每一个部落、方国、国家来说，都是极其重要的事情。

《山海经》对矿产资源有着相当详尽的记述，仅《五藏山经》就记述了矿石产地 673 处和近百种矿产资源。据徐南洲统计《五藏山经》记录的矿产可分为 12 类 90 余种，其中玉分为 20 种，石有 42 种；并记有 155 处产金之地，它们多数都是金属共生矿（涉及黄金、银、铜、铁、锡、汞等）。

一般来说，《五藏山经》的矿产资源可划分为金属矿石和非金属矿石两大类；还可进一步细分为提炼金属用矿石、颜料（包括染料）用矿石、装饰和祭祀用玉石、建筑和_工具用石料、音乐和娱乐用石料、医药用矿石、食用矿产、能源用矿产，以及未明用途矿石，等等。

其一，提炼金属用矿石。《五藏山经》记载的金属矿石有金、白金、赤金、黄金，银，铜，铁，锡。其中，"金"泛指金属，"白金"可指铂或锌、铅、铬等，"赤金"可指铜，"黄金"即常说的黄金。由于提炼铂需要非常高的温度，因此"白金"更可能是指用于制作颜料和青铜器的锌、铅或铬。值得注意的是，在秦始皇兵马俑出土的青铜剑的表面有一层致密的铬盐氧化层，表明中国至少在秦朝就熟练掌握了镀铬技术，而这是需要经历一段漫长的技术发展过程的，其中就有《山海经》时期人们对金属矿藏勘探的贡献。

这里需要特别解释一下《山海经》与铁的关系问题。众所周知，中国在春秋战国时期才开始提炼和使用金属铁，据此不少研究《山海经》的学者相信，《山海经》记载着大量铁矿石产地，这是《山海经》一书最早成书于春秋战国时期的铁证。其实，《山海经》记载铁矿石产地，并不一定意味着铁矿石只能被用于提炼金属铁和制造铁器。事实上，铁矿石至少在山顶洞人时代（约公元前 18000 年）就被中国先民用于制作红色颜料，因此可以推论《山海经》记载着大量铁矿石产地的原因也主要是为了获得红色颜料。

其二，颜料（包括染料）用矿石。如果说人类从直立猿进化成为直立人的标志之一是举起火把的话，那么人类从多毛的直立人进化成为智人的标志之一就是体毛的退化。导致人类体毛退化（被人类学家形象地称之为"裸猿"）的原因，学术界有各种各样的说法；其中一种观点认为，火的使用，服装的使用，特别是涂身、绘身的习俗，促成了人类体毛的不断退化。原始人涂身、绘身的目的，既有宗教的和心理的因素，也有实际的用途，例如保暖、防虫、美容、身份和种族识别符号，以及威慑敌人或猛兽，等等。为了上述目的，就需要寻找和加工制造各种各样的颜料用矿石。与此同时，为了美化陶器、木器、皮具、服装和居室，也需要寻找和加工制造各种各样的颜料、染料用矿石。有趣的是，秦始皇兵马俑使用的彩绘颜料，其中有一种紫色颜料的化学成分是硅酸铜钡，它就是由人工加工制造出来的。进一步说，对颜料用矿石的加上，例如用火烧颜料矿石，乃是促成金属冶炼业出现的重要因素。

《山海经》记载有许多种颜料用矿石，除了颜料用金属矿石之外，还有赭（红土），垩（白土）、黄垩、美垩，石涅（石墨，俗称画眉石），雄黄、青雄黄（兼有药用价值），丹粟（兼有药用价值），磁石（兼有其他用途），硫黄，等等。有趣的足，《山海经》还记录有一个生产硫黄的专业户（氏族），他就是《海内西经》记载的流黄酆氏，亦即《海内经》的流黄辛氏；根据《南山经》南次二经的记载，"流黄"其地在柜山的西面。

其三，装饰和祭祀用玉石。中国先民对玉石有着特殊的喜爱，在先夏时期出土的文物中有大量的各种造型的玉器，诸如玉璧、玉琮、玉璋、玉璜，以及各式各样的玉雕饰品。毋庸置疑，中国古人凭借对玉器的喜爱，势必会特别关注玉石的产地。事实上，《山海经》就记载有种类极其丰富的玉石，它们大多用于制作装饰品和祭祀用品以及娱乐用品和工具，例如白玉、水玉、美玉、苍玉、碧玉、瑾瑜之玉、婴短之玉、青碧、瑶碧、璇、瑰、采石、白珠、帝台之石等等。《中山经》中次七经记

有："中次七经苦山之首，曰休与之山。其上有石焉，名曰帝台之棋，五色而文，其状如鹑卵；帝台之石，所以祷百神者也，服之不蛊。"

其四，建筑和工具用石料。《山海经》记有种类极其丰富的石料，例如砥石、封石、洗石、美石、沙石、垒石等等，它们可以用于建筑和制造工具。

其五，音乐和娱乐用石料。《五藏山经》多处记有磬石、鸣石。《南山经》南次二经记有："漆吴之山，无草木，多博石，无玉。"博石可制作棋子。

其六，医药用矿石。《西山经》西次一经皋涂之山记有："有白石焉，其名曰礜，可以毒鼠："《东山经》东次一经记有："高氏之山，其上多玉，其下多箴石。"郭璞解释箴石"可以为砥（砭）针治痈肿者"。

其七，食用矿产。食盐（氯化钠）对许多动物来说都是一种必需的矿物质食物，因此不少动物都会主动寻找并舐食含盐的矿物或含盐的液体，早期的人类亦不例外。由于人类的生命智力远远超过其他动物的生命智力，因此随着人类生命智力的不断进步，人类不仅知道什么地方有盐矿，而且还会开采和加工制造盐类产品（包括食用和其他用途），《山海经》里就记录有许多人类与盐的故事。

《北山经》北次二经记有："又南三百里，曰景山，南望盐贩之泽，北望少泽。"此处景山在今日山西省南部的解州，至今仍然是重要的盐产地；所谓"盐贩"表明，《五藏山经》撰稿时期，当地不仅有盐业生产，而且还有盐产品的贸易活动。

《海内经》记有："有盐长之国。有人焉鸟首，名曰鸟氏。"这位"盐长国"的前领鸟氏，或许就是民间传说里的盐水女神。据说，当年巴人的先祖廪君曾来到盐水女神的领地，双方发生战争，盐水女神化为飞虫遮天蔽日，被廪君射杀。该故事揭示出在远古曾经发生过为了争夺盐产地的冲突或战争，这个盐产地就在今日三峡附近的大宁河，这里至今仍然是重要的盐产地。

其八，能源用矿产。《山海经》的一些记载，被不少学者认为涉及煤炭、石油和天然气等能源矿产。例如，《西山经》西次三经崒山的玉膏，就被认为是石油（也有学者认为是具有化肥性质的硝盐水）。《南山经》南次三经令丘山的"无草木，多火"现象，被解释为天然气外泄自燃。《海外东经》记述劳民国"为人面目手足尽黑"，有可能是开采煤炭时裸露在外的皮肤被粉尘染黑所至。《海内经》记有："北海之内，有山，名曰幽都之山，黑水出焉。其上有玄鸟、玄蛇、玄豹、玄虎、玄狐蓬尾。有大玄之山。有玄丘之民。有大幽之国。有赤胫之民。"这里到处都是黑的，俨然是一处露天煤矿的景观。

其九，未明用途矿石。《西山经》西次二经鸟危之山"其中多女床"，又有女床之山；"女床"之意至今尚无人能解，它可能是矿石，也可能是植物，或许可以用于制作女性用品。

（三）绿色华夏的植物资源

《山海经》记述有多姿多彩的植物资源，其中尤以《五藏山经》记述的内容最为翔实，记有植物（包括真菌类生物，下

1510

同）分布地 525 处，涉及的植物种类多达两百余种。需要说明的是，不同学者的统计数字互有出入，其客观原因在于《五藏山经》文字的断句存在困难，难以区分某种植物是单字名，还是双字名，抑或是多字名。

《五藏山经》记述的植物，大体可划分为五种情况，其一是泛指的"草木"。其二是只有具体名称而没有明确述及其形态和用途的植物。其三是既有名称又描述其形态的植物。其四是既有名称、又描述其形态、还记述其用途的植物，主要是食用、药用植物，通过食用或者佩戴达到药用目的；当然也有一些其他用途的植物资源，例如养蚕的桑树，制漆的漆树，制竹简、竹筷的竹类，制作用具、武器的植物，制作染料的植物，以及观赏和美容用的花草，等等。其五是形态或功能奇异的植物。

众所周知，许多动物，例如马、熊、猿猴，它们在身体不舒服、肠胃有寄生虫或者受到外伤的时候，都会去寻找吃下某些特定的植物，或者用某些植物的叶子、汁液涂抹伤口；有的卷尾猴甚至会选择某种有着特殊气味的植物叶子擦身体用以驱虫，而这种本领乃是后天学来的。

早期的人类，应该也有着类似上述动物那种利用植物的本领。由于人类的生命智力水平比马、熊、猿猴都要高，因此人类利用植物的本事更大。一是人类会通过观察其他动物如何利用植物资源，来丰富自己对植物资源的知识。二是人类有语言、符号、文字，可以更方便更深入地交流彼此利用植物资源的知识。三是人类拥有强烈的好奇心和创造欲，勇于善于尝试和发现新的可利用植物资源和其他各种资源，所谓"神农尝百草"
的传说正是上述这种行为和精神的写照。

为了使读者对《山海经》的植物资源有一个基本的了解，
这里选择介绍若干有特色的植物。《南山经》南次一经的招摇
山是《五藏山经》记述的第一座山，有人说它是今日湖南省与
江西省交界处的罗霄山，也有人说它是今日漓江上游的猫儿山。
这里出产有两种植物资源："有草焉，其状如韭而青华，其名
曰祝余，食之不饥。有木焉，其状如榖而黑理，其华四照，其
名曰迷榖，佩之不迷。"榖树即构树，属落叶乔木，开淡绿色
花，结红色果实；迷构树可能与构树类似，佩戴它的花果，则
不会迷路、迷糊。

《西山经》西次一经的符禺山"其上有木焉，名曰文茎，
其实如枣，可以已聋。其草多条，其状如葵，而赤华黄实，如
婴儿舌，食之使人不惑。"

《北山经》北次一经边春山"多葱、葵、韭、桃、李。"

《东山经》东次一经姑儿山"其上多漆，其下多桑柘。"

《中山经》中次三经记有："又东十里，曰青要之山，实惟
帝之密都，北望河曲，是多驾鸟。南望墠渚，禹父之所化，是
多仆累、蒲卢。魑武罗司之，其状人面而豹文，小要而白齿，
而穿耳以鑐，其鸣如鸣玉。是山也，宜女子。畛水出焉，而北
流注于河。其中有鸟焉，名曰鴢。其状如凫，青身而朱目赤尾，
食之宜子。有草焉，其状如葋，而方茎黄华赤实，其本如藁本，
名曰荀草，服之美人色。"

《五藏山经》记述有两座帝都，一是《西山经》西次三经

1512

昆仑丘的"帝之下都"，二即此处的"帝之密都"，前者为黄帝族的大本营，后者为帝禹时代的后宫，它们在当初都应是庞大的建筑群，可惜早已荡然无存了。但是，位于偃师的二里头夏文化遗址，出土了大型宫殿基址（有人认为属于商代），面积达10000平方米，或即"密都"遗址。今日洛阳市新安县仍然有一处青要山风景名胜区（相传当初黄帝曾在此），以双龙峡谷为标志性景观。

此处"驾鸟"，实际上是管理后宫事务的官员及其下属服务员，类似昆仑丘的䳐鸟和西工母的三青鸟。由于密都是后宫，因此驾鸟有可能包括被净身的男人。墠，在古代祭祀中，封土曰坛，除地曰墠；渚，水中的小块陆地。据此，"墠渚"可能是一处人上建造的祭祀圣地，祭祀的对象即禹的父亲鲧（在《山海经》里，所谓父子并不一定就是父亲与儿子，而是指前代与后裔）。相传鲧治水失败被处死后化为黄熊（能）入羽渊，此处墠渚或即羽渊，或者象征着羽渊。仆累、蒲卢可能是与祭祀活动有关的什物，也有人说它们即蜗牛、蚌类。

武罗身穿豹皮裙，齿白腰细，戴着金光灿灿的耳环，说话好像鸣玉般清脆，显然她就是后宫娘娘，亦即东方美神。这里的环境对后宫娘娘的生活再适宜不过了，既种植着可以美容的荀草，又饲养着有助于怀孕生下健康婴儿的鹦鸟，还有众多的服务员。根据上述记载，帝禹时代的后宫，估计已经具有相当的规模。

《左传·襄公四年》记有："昔有夏之方衰也，后羿自组迁于穷石，因夏民以代夏政。恃其射也，不修民事而淫于原兽。

弃武罗、伯因、熊髡、尨圉而用寒浞。"据此可知，武罗在夏代仍然是著名的部落，武氏的姓氏可以追溯到《五藏山经》时期的武罗，如此说来武则天的美貌基因看来也是源远流长、渊源自有了。

综上所述，从《五藏山经》记述的内容可知，《五藏山经》撰稿时期，人们大多都生活在青山绿水里，靠山吃山，靠水吃水；那时的自然生态环境和生存条件要比今天好许多，地大物博，人烟稀少，既没有工业污染，又没有过度的奢华浪费，堪称地地道道的绿色华夏。

根据《五藏山经》的记录，绝大多数地区都有着绿色植被，明确记录没有草木的山（泛指区域地名），在《南山经》里有13处，《西山经》9处，《北山经》28处，《东山经》20处，《中山经》18处。也就是说，在《五藏山经》全部447处地域里，只有88处没有植被。有必要指出的是，其中许多"无草木"的地方，或是盐泽，或是雪山，或是孤岛，只有很少的几处是沙漠。据此可知，帝禹时代的华夏大地，到处都是绿色，到处都是生机盎然的景观。

特别值得注意的是，《西山经》绝大多数地方都是绿色盎然，仅仅有9处缺少植被的地方，是《五藏山经》东南西北中五大区域里"无草木"最少的一个区域，而它描述的地理范围正是今天我国的西部地区（秦陵以北，潼关至呼和浩特一线以四的黄土高原，以及河西走廊和天山一带）。也就是说，在4200年前的帝禹时代，这里同样到处都是绿色的原野。值得注意的是，今天的黄土高原已经处于荒漠化、沙漠化的边缘，干

1514

旱和沙尘暴正在越来越频繁地掠夺走黄土高原所剩不多的绿色。这样鲜明的对比和反差，不能不让每一个有责任感的华夏子孙进行深刻的反思。

（四）种类丰富的动物资源

《山海经》记述有各种各样的动物资源，其中尤以《五藏山经》记述的内容最为翔实，记有动物分布地 473 处，涉及动物种类约三百种，郭郛先生将它们划分为化石类、螺蚌类、甲壳类、昆虫类、鱼类、鸟类、两栖类、爬行类、兽类，以及图腾动物类。《五藏山经》记述的动物，大体可划分为五种情况，一是只有具体名称而没有明确述及其形态和用途的动物，它们多是人们熟知或常见的动物。二是既有名称又描述其形态的动物。三是既有名称、又描述其形态、还记述其用途的动物。四是形态怪异的动物（包括奇异生物）。五是半人半兽的动物。

这里先介绍《南山经》南次一经几座山的动物情况，其地理方位大体在东经 110 度以东至东海，北纬 28 度左右的区域。"又东三百八十里，曰猨翼之山，其中多怪兽，水多怪鱼，多白玉，多蝮虫，多怪蛇，多怪木，不可以上。"

关于蝮虫，郭璞注谓"色如绶文，鼻上有鍼，大者百余斤，一名反鼻虫，古虺字"。绶即丝带，古人常用紫色绶带系在印玺上，所谓"色如绶"，或即指紫色。通常认为虺属蛇类，长二尺，土色无文，有剧毒。蝮虫或即蝮蛇，灰黑色，有黑褐色斑纹，头三角形，颈细，鼻反钩，尾部短小，有毒，喜栖湿地，捕食鼠、蛙。所谓此山多怪兽、怪鱼、怪蛇、怪树，从记

述的口气可知，他（她）是一名外来的实地考察者，在忠实地描述所看到的情况。事实上，《山海经》的文字，绝大多数使用的都是陈述句，有什么说什么，看到什么说什么。

"又东三百里曰柢山，多水，无草木。有鱼焉，其状如牛，陵居，蛇尾有翼，其羽在触下，其音如留牛，其名曰鲑。冬死而夏生，食之无肿疾。"

一般来说，"多水"的地方应当多草木，此处却说"无草木"，如果不是经文有错字，那么就表明这里的水为咸水盐泽，因此不适于草木生长。鲑鱼是一种两栖类冬眠动物，可以生活在陆地上，它有着蛇一样的尾部，肋下还长着羽翼（可能是一种比较发达的鱼鳍），发出"留牛"（偕声字）的声音，吃了它的肉可以治疗肿疾。从形象看，它像是一种腿比较长的鳄或巨蜥，也有人说它是穿山甲。在《山海经》中，凡是说"食之"如何的动物、植物，无论它们怎样奇形怪状，通常都足自然界真实存在的生物。

"又东三百里曰青丘之山，其阳多玉，其阴多青䕫。有兽焉，其状如狐而九尾，其音如婴儿，能食人，食者不蛊。有鸟焉，其状如鸠，其音若呵，名曰灌灌，佩之不惑。英水出焉，南流注于即翼之泽；其中多赤鱬，其状如鱼而人面，其音如鸳鸯，食之不疥。"

青丘山的九尾狐"能食人，食者不蛊"，通常都理解为九尾狐能吃人，人吃了九尾狐的肉不患蛊病（避开妖邪之气）。但是《五藏山经》记述其他食人兽时都说"是食人"，唯独这里用"能食人"；或许可以理解为九尾狐能够给人送来珍异的

食物，人吃了这种食物就能够不中邪。事实上，在古代文化中，九尾狐是一种祯祥之物，它的出现意味着天下太平、子孙昌盛；在汉代石刻画像砖上，九尾狐常与白兔、蟾蜍、三足乌并列于西王母座旁，属于四瑞之一。灌灌或谓即白鹳。赤鱬或谓是哺乳动物儒艮，俗称美人鱼。

接下来介绍《西山经》西次一经几座山的动物情况，其地理方位即今日秦岭。"西山经华山之首，曰钱来之山，其上多松，其下多洗石。有兽焉，其状如羊而马尾，名曰羬羊，其脂可以已腊。"

所谓"华山之首"，是说西次一经这条山脉总称华山。钱来山的名字，顾名思义应当与"钱"有关。不过，钱在古代原本是指一种农具，又可指衡器、酒器，并非仅仅指货币。或许，所谓"钱来"原本是"羬羊"，因音同和字形相近而讹误。洗石是一种洗浴时用于帮助除去污垢的石头，它可能具有碱性因而能够去油污，或者具有摩擦力，类似今日市场上用火山灰岩制成的搓澡石。羬羊是一种体形较大的羊，它的油脂可以治疗因寒冷而冻出的体皴，表明当时已经有了护肤用品。

"又西六十里，曰太华之山，削成而四方，其高五千仞，其广十里，鸟兽莫居。有蛇焉，名曰肥遗，六足四翼，见则天下大旱。"

太华山即西岳华山。削成而四方，是考察者对其形貌的描述；高五千仞、广十里，也应当是有实测依据的。今日华山海拔高 2083 米，约合 6200 市尺；古代一仞为八尺，五千仞合四千尺；虽然古尺比今日市尺略短一些，但是考虑到华山的相对高度也要比海拔高度低一些，华山高"五千仞"的数字还是比较准确的。在《五藏山经》里，华山是唯一记述有明确高度的山，表明考察者对这里有着特殊的重视。能跑能飞长着六足四翼的大蛇，也许只会在侏罗纪恐龙世界里存在过。因此，这里的肥遗蛇，更有可能是由人装扮成的，目的是预告世人是否将发生旱灾。一般来说，农民比牧民更关心旱灾是否发生，因为牧民可以逐水草而居，而农民离开故土就难以生存。进一步说，在水灾与旱灾之间，旱灾对农业的危害要更大一些，因为旱灾通常都是大面积的、长时间的，且往往造成颗粒不收。

"又西三百二十里，曰蟠冢之山，汉水出焉，而东南流注于沔。嚣水出焉，北流注于汤水。其上多桃枝、钩端，兽多犀兕熊罴，鸟多白翰赤鷩。有草焉，其叶如蕙，其本如桔梗，黑华而不实，名曰蓇蓉，食之使人无子。"

蟠冢山为汉水的发源地，古人亦称汉水为沔水。今日汉江源头之一在秦岭太白山附近，太白山海拔 3767 米，其北麓的眉县有汤峪泉，泉出太白山石缝，受死火山岩浆加热，水温近沸。今日秦岭早已无犀牛，也很少有熊罴，倒是还有大熊猫。桃枝、钩端，均为竹类。白翰即白色野鸡。蕙为香草。蓇蓉可避孕。

《五藏山经》还有一些值得特别提到的动物，例如《北山经》北次一经谯明山的何罗鱼："又北四百里，曰谯明之山，谯水出焉，西流注于河。其中多何罗之鱼，一首而十身，其音如吠犬，食之已痈。有兽焉，其状如貆而赤豪，其音如榴榴，名曰孟槐，可以御凶。是山也，无草木，多青雄黄。"

谯与瞧可通用，古代城楼上的了望台称谯楼。谯水西流注

入黄河，可知谯明山属于今日的吕梁山山脉。何罗鱼可能是一种喜欢头与头扎堆在一起的鱼，看起来好像是一个头十来个身子；古人相传何罗鱼可以化作鸟，其名休旧。也有人认为何罗鱼属于头足类的章鱼或乌贼，然而在古代此处淡水河里是否有海水鱼类或软体动物，还需要找到考古学上的证据。孟槐即红毛大野猪。

又如，《东山经》东次二经余峨山的狪狪：

"又南三百八十里，曰余峨之山，其上多梓楠，其下多荆芑。杂余之水出焉，东流注于黄水。有兽焉，其状如菟而鸟喙，鸱目蛇尾，见人则眠，名曰犰狳，其鸣自叫，见则螽蝗为败。"

犰狳，一种头尾及胸部长有鳞片、腹部有毛的哺乳动物，杂食，穴居土中，遇到威胁或危险便卷成一团装死；现多见于拉丁美洲，当地人吃其肉，用其鳞甲制作提篮等物。余峨山关于犰狳的记述，表明我国古代山东、江苏一带也是犰狳的栖息地。所谓"见则螽蝗为败"，当指犰狳喜食蝗虫，是蝗虫的克星。

再如，《中山经》中次九经鬲山有着大量犀牛和大象：

"又东五百里，曰鬲山，其阳多金，其阴多白珉；蒲鸂之水出焉，而东流注于江，其中多白玉；其兽多犀象熊罴，多猿蜼。"

鬲，鼎类器物。蜼，汪绂注谓："猿属，仰鼻岐尾，天雨则自悬树，而以尾塞鼻。"鬲山位于今日四川盆地的岷山和大巴山一带，距离著名的三星堆、金沙文化遗址不远，在《五藏山经》考察撰稿时期，这里还有大量的犀牛和大象，说明当时的气候要比今日温暖许多；而三星堆、金沙出土数量可观的象牙，足可充分证明《五藏山经》的考察记述具有很高的真实性和可靠性。

此外，《山海经》里多处记述有一种奇怪的不明生物"视肉"，诸如《海外南经》、《海外北经》、《大荒东经》、《大荒南经》、《大荒西经》、《大荒北经》、《海内西经》都记述有视肉，可惜只是提到名称，并无任何描述，这表明视肉在当时应该是人所共知的东西。关于视肉，郭璞注谓："聚肉，形如牛肝，有两目也；食之无尽，寻更复生如故。"据此视肉有可能是一种生长迅速的真菌，或许亦即民间所说的不敢在太岁头上动土的"太岁"。值得注意的是，近年我国北方不少地方陆续出土类似视肉的不明生物，它们能够自我生长，而且能够净化水质，有胆大的人尝试吃过，似乎并无毒副作用。奇怪的是，对这种不明生物却检验不出细胞结构和 DNA，或许它们是一种没有细胞膜和 DNA 的最原始的生物。

（五）多种多样的药物资源

《山海经》记载有多种多样的药物资源，此外还有一些具有药用功能的矿石、植物、动物，可能由于它们属于人所共知的，因此《山海经》里并没有明言其药效。据赵璞珊统计，《山海经》（主要是《五藏山经》）明确记述药用功能的药物共计 132 种，其中矿石类有 5 种，草本类植物有 28 种，木本类植物有 23 种，兽类动物有 16 种，鸟类动物有 25 种，水族类动物有 30 种，其他类有 5 种。这些药物均为单方，而且没有用量，

充分表明其具有原始古朴性质。

　　《山海经》记载的药物，可以对应治疗的人体病症约四五十种，涉及消化系统疾病、呼吸系统疾病、心血管系统疾病、传染病、妇科病、五官科疾病、皮肤病，以及神经系统疾病和心理疾病，等等。有趣的是，《山海经》还记述了许多特殊功能的药物（从广义上而言），例如"服之不畏雷"、"养之不忧"、"食之使人无子"、"服之不字（即不怀孕）"、"服之美人色"、"食之宜子孙"、"服之不妒"、"食之多力"、"食之善走"、"佩之不迷"等等。此外，《山海经》也有少量的畜用药。关于《山海经》里的药物资源，本书在介绍《山海经》的矿产资源、植物资源和动物资源时已涉及，这里就不再多举例子了。

　　在《山海经》时代，几乎人人都会采集一些药物自行服用，但是采集药物、医治病人的工作主要还是由巫师承担；当然许多巫师还同时承担着其他的工作，因为那个时代的巫师实际上兼有科学家、工程师和社会活动家的性质。《山海经》记载与医药活动有关的地方包括巫山、巫咸国、巫载民，与医药活动有关的巫师有巫凡、巫即、巫抵、巫肪、巫姑、巫相、巫咸、巫真、巫阳、巫彭、巫履、巫谢、巫礼、巫罗。

　　《大荒南经》："有巫山者，西有黄鸟。帝药，八斋。黄鸟于巫山，司此玄蛇。""有云雨之山，有木名曰栾。禹攻云雨，有赤石焉生栾，黄本，赤枝，青叶，群帝焉取药。"

　　袁珂认为，《山海经》此处所说的巫山、云雨山，即今日长江三峡巫峡的巫山。所谓"黄鸟于巫山，司此玄蛇"，是说黄鸟负责守护巫山的神药，不让玄蛇偷药。显然，这里面省而未述的情节，与后世《白蛇传》青蛇去巫山偷灵芝仙草的故事，很可能有着某种内在的联系。栾树的花可制黄色颜料、人药，"赤石生栾"可能与祭祀栾树之神的巫术活动有关。

《大荒西经》："有灵山，巫咸、巫即、巫股、巫彭、巫姑、巫真、巫礼、巫抵、巫谢、巫罗十巫，从此升降，百药爰在。"

值得注意的是，在《山海经》十八章中，《五藏山经》里还没有巫的称呼，《海外四经》里仅提到一个巫咸，而到了《大荒四经》、《海内五经》里则出现了群巫。由于经文过于简略，也给我们留下了许多问题：如此众多的巫在一起工作，他们是男是女？年老年少？如何分工？有何组织结构？谁是巫师协会的头？他们的收入各是多少？

从灵山十巫的排序来看，似乎巫咸是首席巫师。从他们的名称来看，巫即做事雷厉风行，巫股可能负责管理巫术活动中的器具或者负责分配财物，巫彭可能是一位身壮力大者或有长寿仙术者，巫姑当是女性，巫真有变成仙人登天之术，巫礼负责巫术仪式设计，巫抵负责仪式安全，巫谢负责公共关系，巫罗负责召集民众。当然，仅凭十巫每个人姓名里的一个字，我们不会对上述信息解读的准确性抱太高的奢望。

《海内西经》："开明东有巫彭、巫抵、巫阳、巫履、巫凡、巫相，夹窫窳之尸，皆操不死之药以距之。窫窳者，蛇身人面，贰负臣所杀也。"

《大荒西经》灵山十巫为巫咸、巫即、巫股、巫彭、巫姑、巫真、巫礼、巫抵、巫谢、巫罗。与《海内西经》六巫对照，相同的有巫彭、巫抵，郝懿行认为巫履即巫礼，巫凡即巫股，

巫相即巫谢。此处六巫之行为，郭璞认为乃神医用不死药清除
窫窳身上的"死气"以便其重生，并概括为："窫窳无罪，见
害贰负，帝命群巫，操药夹守；遂沦弱渊，变为龙首。"其实，
所谓"皆操不死药以距之"，既指正常的手术，也包括对尸体
的防腐处理，因为古人相信如果某人的尸体不腐，那么他的灵
魂亦可不死。

　　开明东的六巫和窫窳均属于黄帝族，而贰负则属于炎帝族。
上述巫医活动的方位选择在东方，当有所考虑。一是，东方是
太阳升起的方向，可以象征着新生。二是，这里可能是距离前
线战场最近的地方，因此有利于及时对伤员进行救治，以及对
阵亡者的尸体进行防腐处理，并对其灵魂进行安抚。事实上，
在古史传说中，黄帝族的敌人多居住在东方，因此战场通常也
都在黄帝族大本营的东面。

因牛，是龙生九子中的老大，平生爱好音乐，它常常蹲在琴头上欣赏弹拨弦拉的音乐，因此琴头上便刻上它的遗像。这个装饰现在一直沿用下来，一些贵重的胡琴头部至今仍刻有龙头的形象，称其为"龙头胡琴。

第五儿是狻猊（Suān ní）：形似狮子。是外来品，随佛教传入中国的，所以性格有点像佛。它好安静、又爱烟火。所以往往把它安在佛位上或香炉上，让它为佛门护法。

第二十二卷　《山海经》中的名山

《山海经》记术的第一座
山在哪里

　　《山海经》记述的第一座山是《五藏山经·南山经》的招摇山，也是《五藏山经》第一条山脉鹊山之首。毋庸置疑，确定招摇山在今日的地理方位有着极其重要的意义，因为这有助于我们考证《五藏山经》26 条山脉 447 座山的地理方位，对古地理、古气象、古生物的研究，以及对先夏时期部落氏族分布迁徙的研究，都具有不可替代的价值。

　　《南山经·南次一经》："南山经之首曰鹊山。其首曰招摇之山，临于西海之上，多桂，多金玉。有草焉，其状如韭而青华，其名曰祝余，食之不饥。有木焉，其状如榖而黑理，其华四照，其名曰迷榖，佩之不迷。有兽焉，其状如禺而白耳，伏行人走，其名曰狌狌，食之善走。丽麂之水出焉，而西流注于海，其中多育沛，佩之无瘕疾。"

　　根据上述记载可知，招摇山位于鹊山山脉之首，临近西海之上，从招摇山发源的丽旨水向西流入（西）海。由于《南次一经》鹊山山脉是由西向东记述的，因此位于鹊山之首的招摇山应该是在鹊山山脉的最西端。由于《五藏山经》首先记述南方的情况，因此"临于西海之上"表明招摇山位于西海的南面或东南方。问题是，西海在哪里？西海有什么特点？《南次一经》并没有更多的描述。

目前，关于招摇山的地理方位，历代研究者有着不同的见解，或谓远在四川盆地西部的岷山，或谓远在青藏高原雅鲁藏布江源的高山，均不足为训。比较接近的观点主要有以下四种：

1. 招摇山在广东省的连县（古称桂阳），其北的方山或即招摇山。

2. 招摇山在广西海洋山西北。

3. 招摇山即广西兴安县境内的猫儿山（又称苗儿山），是山海拔 2141 米，为华南地区著名的高山。持此论者认为，"摇"与瑶族、苗族的"瑶"、"苗"音同或音近，"招"可训为"王"，"招摇山"意为瑶（苗）家名山。此论的问题是，猫儿山的西面并没有海，因此不符合招摇山"临于西海之上"的记述。，或谓西海在今日的桂林，但是桂林位于猫儿山正南方有百公里之遥，不能称之为"西"海。

4. 招摇山即今日湖南省与江西省交界处的罗霄山，"罗霄"与"招摇"的含意和发音颇为相近。西海在今衡阳盆地一带，那里古代或曾为湖泊；凡大的湖泊，古人亦称之为海，例如青海、岱海等。丽旨水发源于招摇山，即今日发源于罗霄山的洣水，沫水向西流入湘江，两者交汇处即在衡阳市东面，属于衡阳盆地。

罗霄山脉是万洋山、诸广山和武功山的统称，南北长约150 多公里；东西宽约 30—45 公里，主要山峰海拔多在 1000 米以上，其中著名的山峰有八面山、井冈山、武功山等。井冈山

最南端的南风屏是江西省西部最高峰，海拔 2120 米。炎陵县的酃峰海拔 2115.4 米，是湖南省最高峰。八面山海拔 2042 米，大围山海拔 1607 米。罗霄山地区有炎帝陵、汤湖温泉、井冈山革命根据地、大围山等名胜古迹。

罗霄山气候温暖湿润，既有松、杉、楠、樟、毛竹等常绿针叶、阔叶树种，也有大量热带区系植物分布。酃县低山沟谷有红勾栲、薯树、光叶白兰，汝城有桃金娘、百日青、凤凰楠、广东厚皮香、白桂木、罗浮栲等。八面山有杜仲、福建柏、银杏、银杉、红皮紫茎、银鹊树、南方铁杉、红豆杉等珍稀树种。山林栖息有短尾猴、水鹿、林麝、华南虎、金钱豹等野生珍贵动物。山区有丰富的矿产资源，例如汝城白云仙、茶陵邓阜仙、桂东川口等地的钨矿，茶陵潞水的磁铁矿，以及煤矿等。《山海经》记述招摇山"多桂"（白桂木）、"多金玉"（钨矿、磁铁矿、煤矿）、"狌狌"（短尾猴）等，均符合罗霄山的记载。

当地民间流传的故事称，三国时吴国有一个名叫罗霄的人，自幼熟习孙吴兵法，以将才名震东吴，屡建战功。东吴皇帝孙皓非常欣赏罗的雄才大略，封罗霄为安成郡太守，首府设在今日的安福。有一年，安福大旱，罗霄亲率僚属至潇山（即武功山）龙潭求雨，以救黎民苍生。由于罗霄与镇守荆扬的诸葛恪意见不合，他便辞官隐居潇山山洞中。当东吴灭国的消息传来时，罗霄悲愤不已，便以屈原为榜样，投水自尽。当地百姓为了纪念爱国名将罗霄，便把他住过的山洞命名为"罗霄洞"，而罗霄洞所处的大山脉就叫做"罗霄山脉"。其实，罗霄山之名应该早已有之，东吴名将罗霄的传说，只不过是同名而已。

《山海经》里是否有五岳

　　人类对山的景仰由来已久，许多高大挺拔的山峰都被视为神山、圣山。中国人对山的景仰同样是渊源自有，其独特的表现形式之一就是对五岳的尊崇，以及帝王对泰山（岱宗）、嵩山等山岳举行的大规模封禅活动。封禅的"封"指在高山之巅举行隆重的祭天仪式，"禅"指在低处举行隆重的祭地仪式，封禅的用意是表明帝王的权力得到天地的认可。

　　西汉史学家司马迁在《史记·封禅书》引《管子》（佚篇）称，自古封泰山禅梁父（或禅其他地方）的历代帝王有 72 位，其中著名的有无怀氏、虑羲（伏羲）、神农、炎帝、黄帝、颛顼、帝喾、尧、舜、禹、汤，周成王，等等。

　　关于五岳的记载，道教典籍《洞天记》称："黄帝画野分州，乃封五岳。"意思是黄帝时代曾经把天下（准确说应该是指黄帝的势力范围）划分为五大区域，每一区域有一座标志性的大山，它们被命名为五岳。《尚书·尧典》记有帝尧曾向四岳咨询谁能胜任治理洪水的工作，后来又向四岳咨询选择谁当接班人。按理推之，四岳应该是东西南北四大区域的代表，而

帝尧应该是处于中央区域，合起来也是把天下（准确说应该是指帝尧的势力范围）划分为五大区域，每一区域有一座标志性的大山。

《尚书·舜典》明确记有帝舜朝代每五年巡守天下（准确说应该是指帝尧的势力范围）一周："岁二月，东巡守，至于岱宗，柴。望秩于山川，肆觐东后。协时月正日，同律度量衡。……五月，南巡守，至于南岳，如岱礼。八月，西巡守，至于西岳，如初。十有一月，朔巡守，至于北岳，如西礼，归。"所谓"柴"是一种祭祀仪式，即堆积薪柴，把祭祀的牺牲放在薪柴上，点火焚之，其烟上扬至天，以达到与天沟通的目的。

大约出现于战国时期的著作《周礼·春官·大宗伯》亦记有："以血祭祭社稷、五祀、五岳。"《史记·封禅书》里记载的五岳指东岳泰山、西岳华山、中岳嵩山、南岳衡山、北岳恒山。此后，不同朝代所指的五岳山峰曾有多次变更，我们今天所说的五岳基本符合《史记·封禅书》的记载。其中，东岳泰山海拔 1545 米，位于山东省泰安市辖内；西岳华山海拔 2155 米，位于陕西省华阴市辖内；中岳嵩山海拔 1492 米，位于河南省登封市辖内；南岳衡山海拔 1290 米，位于湖南省衡阳市辖内；北岳恒山海拔 2016 米，位于山西省大同市辖内。

众所周知，《山海经》对山脉、山峰的记述主要集中在《五藏山经》，此外《大荒四经》也有若干山峰的记述（可能是因为竹简脱落，其内容显得支离破碎）。由于《五藏山经》把天下（准确说应该是指帝禹的势力范围）划分为《南山经》、《西山经》、《北山经》、《东山经》和《中山经》五大区域，因此我们这里重点探讨《五藏山经》里面是否已经有了五岳山峰的记载。

（一）《东山经》记有泰山

东次一经："又南三百里，曰泰山，其上多玉，其下多金。有兽焉，其状如豚而有珠，名曰狪狪，其名自詨。环水出焉，东流注于江（汶），其中多水玉。"

《东山经》共记述有 46 座山，从对泰山的记载来看，泰山在《东山经》里虽然属于重要的山，但是还远没有得到"五岳独尊"程度的尊崇。此外，东次一经记述有一座"岳山"："又南三百里，曰岳山，其上多桑，其下多樗。泺水出焉，东流注于泽，其中多金玉。"然而这座以"岳"命名的山，亦未受到特殊的尊崇。

（二）《中山经》记有嵩山

中次七经："又东五十里，曰少室之山，百草木成囷。其上有木焉，其名曰帝休，叶状如杨，其枝五衢，黄华黑实，服之不怒。其上多玉，其下多铁。休水出焉，而北流注于洛。其中多䲡鱼，状如盩䝴而长距，足白而对，食者无益疾，可以御兵。又东三十里，曰泰室之山，其上有木焉，叶状如梨而赤理，其名曰栯木，服者不妒。有草焉，其状如𦬊，白华黑实，泽如蘡奥，其名蓸草，服之不昧。上多美石。……苦山、少室、太室皆冢也，其祠之：太牢之具，婴以吉玉，其神状皆人面而三首。其余属皆豕身人面也。"

少室山、泰室山即嵩山。《中山经》共记述有 197 座山，从对嵩山的记载来看，嵩山在《中山经》里属于比较重要的山，已经得到较高的尊崇，但是还远没有达到"天下之中"的程度。

（三）《西山经》记有华山

西次一经："西山经华山之首，曰钱来之山，其上多松，其下多洗石。有兽焉，其状如羊而马尾，名曰羬羊，其脂可以已腊。……又西六十里，曰太华之山，削成而四方，其高五千仞，其广十里，鸟兽莫居。有蛇焉，名曰肥蟥，六足四翼，见则天下大旱。又西八十里，曰小华之山，其木多荆、杞，其兽多㸲牛。其阴多磬石，其阳多㻬琈之玉。鸟多赤鷩，可以御火。其草有萆荔，状如乌韭，而生于石上，亦缘木而生，食之已心痛。……凡《西经》之首，自钱来之山至于䮫山，凡十九山，二千九百五十七里。华山冢也，其祠之礼：太牢。羭山神也，祠之用烛，斋百日以百牺，瘗用百瑜，汤其酒百樽，婴以百珪百璧。其余十七山之属，皆毛牷用一羊祠之。烛者百草之未灰，白席采等纯之。"

太华山、小华山即华山。《西山经》共记述有 4 条山脉 77 座山，第一条山脉以华山命名。从《西山经》对华山的记述来看，华山在《西山经》里属于比较重要的山，并且已经得到较高的尊崇，但是尚未具有西部诸山之首"西岳"的地位。事实上，在《西山经》第一条山脉里，羭山的地位要更加突出，对其祭祀的仪式特别隆重"祠之用烛，斋百日以百牺，瘗用百瑜，汤其酒百樽，婴以百珪百璧”，这在《五藏山经》全部 447 座山里也是数一数二的。

（四）《北山经》与北岳

北次一经：“又北二百里，曰北岳之山，多枳、棘、刚木。有兽焉，其状如牛，而四角、人目、彘耳，其名曰诸怀，其音如鸣雁，是食人。诸怀之水出焉，而西流注于嚣水。其中多鮨鱼，鱼身而犬首，其音如婴儿，食之已狂。”

从上述记载可知，这座以“北岳”命名的山，是一座比较重要的山，但是它并不具有后世所说的“北岳”地位。

有趣的是，《西山经》提及恒山。西次三经：“又西三百二十里，曰槐江之山。丘时之水出焉，而北流注于渤水，其中多赢母。……南望昆仑，其光熊熊，其气魂魂。西望大泽，后稷所潜也；其中多玉，其阴多摇木之有若。北望诸毗，槐鬼离仑居之，鹰鹯之所宅也。东望恒山四成，有穷鬼居之，各在一搏。”所谓“恒山四成”是说恒山的山势有 4 层之形。

在《五藏山经》里《西山经》与《北山经》的分界线是内蒙古托克托县至潼关段的黄河，从“东望恒山四成，有穷鬼居之，各在一搏”的记述来看，恒山位于《西山经》所述地理区域的东面，亦即今日山西省境内，它属于有穷部落的神山。由于《北山经》共记述有 88 座山，其中并未见对恒山的记述，或可表明当时恒山还不：具有北岳的资格，也可能《西山经》提及的恒山就是《北山经》所记述的北岳山，如系后者则表明当时已经把恒山视为北岳了。”

（五）《南山经》没有衡山之名

《南山经》共记述有 39 座山，其中未见衡山之名。值得注意的是，《南山经》第一条山脉名叫鹊山，大约是位于今日湖南省境内的衡山或九党荆山。

有意思的是，《山海经·大荒西经》记述有南岳："有寿麻之国。南岳娶州山女，名曰女虔。女虔生季格，季格生寿麻。寿麻正立无景，疾呼无响。爰有大暑，不可以往。"不过此处的"南岳"系人名，他是寿麻国的先祖。寿麻国位于南北回归线的赤道地区（或谓在今日的斯里兰卡），因此才会出现阳光垂直照射"正立无影"的奇异现象。尽管此处的"南岳"系人名，但是并不排除其名得自当地有"南岳"之山。

（六）《五藏山经》里的古今同地同名之山

《五藏山经》共记述有 447 座山，其中有不少古今同地同名之山，除了上述泰山、华山等名山之外，还有《南山经》的会稽山，《西山经》的南山（终南山）、天山、白于山、鸟鼠同穴山，《北山经》的管涔山、霍山、太行山、王屋山、发鸠山，《东山经》的姑射山，《中山经》的荆山、岷山、洞庭山、柴桑山，等等。由于《五藏山经》里有许多古今同地同名之山，这就表明其记载有着历史传承性质，具有相当的可靠性。

综上所述可知，《五藏山经》虽然记述了泰山、华山、嵩山、恒山等五岳之山，但是并没有特殊尊崇这些山，反倒是对其他一些山表现出格外的重视，而《山海经》的其他篇章也没有表现出对五岳的特别尊崇，只是在《中山经》中次六经里记有："凡缟羝山之首，自平逢之山至于阳华之山，凡十四山，七百九十里。岳在其中，以六月祭之，如诸岳之祠法，则天下安宁。"

对比之下，《山海经》对五岳的记述，与《尚书》、《管子》对五岳的记述，彼此还是有一些差异的。可能是因为，《管子》称炎帝、黄帝都曾经封禅泰山，但是当年炎帝、黄帝、蚩尤各有其势力范围，三者还发生过长期战争，泰山属于蚩尤（东夷部落联盟）的势力范围，因此炎帝、黄帝不大可能到泰山举行封禅活动。而且黄帝有自己的神山、圣山——昆仑，因此即使举行封禅活动也应该首选昆仑才是。

黄帝都城昆仑究竟在哪

中国人自称是炎黄子孙，意思是自己是炎帝、黄帝的后代。《山海经》里没有明确记载炎帝的发祥地，却多处记载黄帝的发祥地暨黄帝都城——昆仑（昆仑丘、昆仑虚、昆仑山）。长期以来，在中国人的心目中，昆仑丘、昆仑虚、昆仑山是一处比五岳更古老更伟大的圣山，其中极其重要的原因就是因为那里孕育了中华民族的主要缔造者——黄帝。

但是，由于考古发掘尚未找到黄帝都城昆仑的遗址，因此人们对昆仑究竟在哪里，一直存在着争议，有人说它在今日的黄河河套以南，有人说它就是今日新疆南部的昆仑山，也有人说它是甘肃省的祁连山或青海省的巴颜喀拉山、湟源县境内的野牛山、山东省的泰山、四川省的峨眉山、青藏高原西部的阿里高原，还有人说它在今日云南省境内或者远在印度（阿耨达山）、中东，亦有人说昆仑可泛指一切高山，甚至说昆仑乃是古人虚构的，并不是真实的存在，等等不一而足。

由于：最早记述黄帝都城昆仑的典籍是《山海经》，因此我们主要依据《山海经》的记载来探索黄帝都城昆仑究竟在哪里。

（一）《山海经》记载的昆仑、昆仑丘、昆仑虚、昆仑山是一回事吗？

昆仑在《山海经》和其他古书里有时候又称为昆仑丘、昆仑虚、昆仑山，学术界长期都把昆仑、昆仑丘、昆仑虚、昆仑山视为彼此等价的词汇，或者把它们视为同一个事物。其实，昆仑、昆仑丘、昆仑虚、昆仑山这几个词汇既有相同的内涵，也有不同的内容，应当区别对待。事实上，正是因为许多学者都把这几个词汇混为一谈，所以才会在讨论昆仑的地理位置时产生分歧。下面主要以《山海经》记载的昆仑、昆仑丘、昆仑虚、昆仑山为例，探讨这几个词汇的区别。

1. 《山海经》记载的昆仑

西次三经："又西北四百二十里，曰钟山，其子曰鼓，其状如人面而龙身。是与钦䲹杀葆江于昆仑之阳，帝乃戮之钟山之东曰嵫崖。钦䲹化为大鹗，其状如雕而黑文白首，赤喙而虎爪，其音如晨鹄，见则有大兵。鼓亦化为鵕鸟，其状如鸱，赤足而直喙，黄文而白首，其音如鹄，见则其邑大旱。"

西次三经："又西三百二十里，曰槐江之山。丘时之水出焉，而北流注于渤水，其中多嬴母。其上多青雄黄，多藏琅玕、黄金、玉；其阳多丹粟，其阴多采黄金、银。实惟帝之平圃，神英招司之；其状马身而人面，虎文而鸟翼，徇于四海，其音如榴。南望昆仑，其光熊熊，其气魂魂。西望大泽，后稷所潜也；其中多玉，其阴多榣木之有若。北望诸毗，槐鬼离仑居之，鹰鹯之所宅也。东望恒山四成，有穷鬼居之，各在一搏。爰有

淫水，其清洛洛。有天神焉，其状如牛，而八足二首马尾，其音如勃皇，见则其邑有兵。"

北次一经："又北三百二十里，曰敦薨之山，其上多棕楠，其下多茈草。敦薨之水出焉，而西流注于泑泽，出于昆仑之东北隅，实惟河原。其中多赤鲑，其兽多兕、旄牛，其鸟多尸鸠。"

海外北经："共工之臣曰相柳氏，九首，以食于九山。相柳之所抵，厥为泽溪。禹杀相柳，其血腥，不可以树五谷种。禹厥之，三仞三沮，乃以为众帝之台。在昆仑之北，柔利之东。相柳者，九首人面，蛇身而青。不敢北射，畏共工之台。台在其东。台四方，隅有一蛇，虎色，首冲南方。"

海内西经："昆仑南渊，深三百仞。开明兽身大类虎而九首，皆人面，东向立昆仑上。"

海内北经："帝尧台、帝喾台、帝丹朱台、帝舜台，各二台，台四方，在昆仑东北。"

2.《山海经》记载的昆仑丘

西次三经："西南四百里，曰昆仑之丘，是实惟帝之下都，神陆吾司之；其神状虎身而九尾，人面而虎爪；是神也，司天之九部及帝之囿时。有兽焉，其状如羊而四角，名曰土蝼，是食人。有鸟焉，其状如蜂，大如鸳鸯，名曰钦原，荔鸟兽则死，蠚木则枯。有鸟焉，其名曰鹑鸟，是司帝之百服。有木焉，其状如棠，黄华赤实，其味如李而无核，名曰沙棠，可以御水，食之使人不溺。有草焉，名曰薲草，其状如葵，其味如葱，食之已劳。河水出焉，而南流东注于无达。赤水出焉，而东南流注于氾天之水。洋水出焉，而西南流注于丑涂之水。黑水出焉，而西流于大杅。是多怪鸟兽。”

大荒西经：“西海之南，流沙之滨，赤水之后，黑水之前，有大山，名曰昆仑之丘。有神，人面虎身，有文有尾，皆白处之。其下有弱水之渊环之，其外有炎火之山，投物辄然。有人，戴胜，虎齿，有豹尾，穴处，名曰西王母。此山万物尽有。”

3.《山海经》记载的昆仑虚

海外南经：“昆仑虚在其东，虚四方。一曰在岐舌东，为虚四方。羿与凿齿战于寿华之野，羿射杀之。在昆仑虚东。羿持弓矢，凿齿持盾。一曰戈。”

海内西经：“流沙出钟山，西行又南行昆仑之虚，西南人海、黑水之山。……海内昆仑之虚，在西北，帝之下都。昆仑之虚，方八百里，高万仞。上有木禾，长五寻，大五围。面有九井，以玉为槛。面有九门，门有开明兽守之。百神之所在，在八隅之岩，赤水之际，非仁羿莫能上冈之岩。赤水出东南隅，以行其东北，（西南流注南海，厌火东）。河水出，东北隅，以行其北，西南又入渤海，又出海外，即西而北，入禹所导积石山。洋水、黑水出西北隅，以东，东行，又东北南人海，羽民南。弱水、青水出西南隅，以东，又北，又西南，过毕方鸟东。昆仑南渊，深三百仞。开明兽身大类虎而九首，皆人面，东向立昆仑上。”

海内北经：“西王母梯几而戴胜（杖），其南有三青鸟，为西王母取食。在昆仑虚北。……昆仑虚南所有氾林，方三百里。”

海内东经："国在流沙中者埻端、玺睒，在昆仑虚东南。一曰海内之郡，不为郡县，在流沙中。……西胡白玉山在大夏东，苍梧在白玉山西南，皆在流沙西；昆仑虚东南。"

4.《山海经》记载的昆仑山

海内东经："昆仑山在西胡西，皆在西北。"

5. 根据上述《山海经》关于昆仑的记载，可以得到如下几点认识：

（1）"昆仑"指黄帝都城所在地，亦可指黄帝族的发祥地。中国古代有一种政治传统，即一个政权迁都后仍然会使用相同的名称来命名新的都城。从这个角度来说，昆仑这个地名可能在历史上不同的时间段位于不同的地理位置。由于《五藏山经》是帝禹时代的文献，《海外四经》是夏代的地理文献，《大荒四经》是商代的地理文献，《海内五经》是周代的地理文献，因此《山海经》不同篇章记述的昆仑（包括昆仑丘、昆仑虚、昆仑山）有可能并不在同一个地方。

（2）"昆仑丘"强调的是当时黄帝都城昆仑所在地的地形地貌是"丘"。东汉学者许慎在《说文解字》称：丘"土之高也，非人为也。从北从一，一地也，人居在丘南，故从北。中邦之居，在昆仑东南。"据此可知，昆仑丘是一处自然形成的高原，从这个角度来说昆仑丘可简称为昆仑。按照许慎的看法，昆仑位于中原（大体可指今日河南省）的西北方向。

（3）"昆仑虚"强调的是当年黄帝都城昆仑所在地的地形地貌是"虚"。"虚"意为"大丘"，亦可指古代著名部落所在地，例如《左传·昭公十七年》云："宋，大辰之虚也；陈，大皞之虚也；郑，祝融之虚也。"据此可知，凡是称"昆仑虚"者，一是说黄帝都城昆仑所在地的地势高，二是透露叙说者是在回忆追述当年黄帝都城的辉煌。

（4）"昆仑山"强调的是当年黄帝都城昆仑所在地的地形地貌是"山"，而且是非常高大挺拔险峻的大山大脉。也就是说，从昆仑丘到昆仑虚再到昆仑山，黄帝都城所在地的地形地貌，在后世人们的心目中已经从普通的高原，一变而成"大高原"，再变而成"大高山"。这就表明，称黄帝都城所在地是"昆仑山"的人，实际上已经不清楚当初黄帝都城昆仑究竟在哪里了。例如，今日地图上的昆仑山位于青藏高原的北部，西起帕米尔高原，东至柴达木盆地的南面，山脉全长 2500 公里，宽约 130—200 公里，大体上西窄东宽，总面积 50 多万平方公里，平均海拔 5500—6000 米，其中公格尔山海拔 7719 米，慕士塔格山海拔 7546 米。这里空气稀薄、气候寒冷、植被稀疏、交通不便、生存条件异常艰难，难以孕育出繁荣兴盛的强大部落。

（二）《五藏山经》记载的黄帝都城在鄂尔多斯高原

由于学术界关于昆仑所在地的看法非常多，限于篇幅本书不可能逐一介绍。这里重点介绍一种全新的观点，即主张《五藏山经》记载的黄帝都城昆仑（昆仑丘）在今日黄河河套以南的鄂尔多斯高原（包括陕北高原），其主要的理由如下：

首先，《五藏山经》里的《西山经》和《北山经》都记述有昆仑（昆仑丘），据此昆仑（昆仑丘）应该位于《西山经》

和《北山经》交界处附近，而《西山经》和《北山经》各自所述的区域是以黄河前套（托克托河口）至潼关段的黄河为界的，其西是鄂尔多斯高原和陕北高原，其东是吕梁山和太行山（属于古冀州）。

其次，《北山经》明确指出当时的黄河发源于渤泽，渤泽位于昆仑之东北。渤泽即今日的黄河前套土默川平原，先夏时期黄河后套（后套平原）、前套均为大面积的湖泽湿地，因此当时的人们便把渤泽视为黄河的发源地。据此可知，黄帝都城昆仑（昆仑丘）位于黄河前套西南方向不远的地方，那里正是今日的鄂尔多斯高原，符合中华民族先民对"河出昆仑"（更准确的说法是黄河发源于昆仑的东北方）的古老记忆。

有趣的是，黄河原本专称为"河"，其字形乃是一幅地图（汉字里类似的象形地图的文字还有许多），"三点水"代表河流，"口"代表有人居住，"一竖一横"即象形着那个时代人们所认知的黄河河道：从托克托向南到潼关然后直角转折向东流入大海。

有必要指出的是，后世学者之所以搞不清黄帝都城昆仑的地理方位，很重要的原因就是想当然的把后世所知的黄河发源地当成了《五藏山经》所记述的黄河发源地，以致把渤泽曲解为蒲昌海（位于今日罗布泊遗址），并相信黄河在此处"潜行地下"数千里后重新冒出地面。然后一错再错，又继续围绕着蒲昌海去寻找黄帝都城昆仑，当然是找不到了。

第三，黄河河套及其以南的鄂尔多斯高原和陕北高原，在先夏时期水草丰茂，物产富饶，北面、东面、西面有黄河环绕形成天然屏障，这一区域面积达十几万平方公里，足以孕育出伟大强盛的民族，而事实也表明这一区域确实出土有数万年前的细石器文化。进一步说，《史记》称黄帝出生在姬水，黄帝族群里的主要姓氏为姬姓；有意思的是"姬"的"女"字旁表示母系姓氏，"颐"字的象形含义说的是黄帝族群生息繁衍之地的北、东、西三面都有河流环绕。

第四，位于鄂尔多斯高原西部的桌子山，主峰海拔 2149 米，突兀在鄂尔多斯高原之上，其上至今仍然可见古代岩画，它很可能就是黄帝部落联盟的圣山，也是后世传说的高耸入云的"万山之宗、龙脉之祖"昆仑山的原型。

第五，今日黄陵县的黄帝陵，位于鄂尔多斯高原南面的陕北高原。陕北高原属于黄土高原，黄帝之名的"黄"字，即出自对黄土地的尊崇和眷恋。

第六，黄帝与炎帝之战的古战场在河北省北部的涿鹿县。涿鹿在桑干河的中下游，桑干河的发源地在吕梁山的北端，靠近黄河前套（渤泽）。黄帝族当年很可能是从黄河前套附近越过黄河，一路沿着桑干河向东与炎帝族决战于涿鹿的。黄帝与蚩尤之战的古战场在冀州之野，冀州之野即今日的山西省、河北省、河南省北部一带，黄帝族当年很可能是从鄂尔多斯高原、陕北高原向东越过黄河，翻越吕梁山、太行山与蚩尤交战的。清马啸《绎史》卷五引《黄帝内传》称："黄帝斩蚩尤，蚕神献丝，乃称织维之功。"据此似可表明，养蚕是蚩尤族（居住地之一在今天山西省的南部）发明的，因为战败而不得不向黄帝族（居住在今天陕西省以及河套地区）交出养蚕技术，这可

能是最早为了争夺养蚕技术而发生的战争了（第一次丝绸战争）。由于在山西省的南部确实出土有先夏时期的蚕茧，因此《黄帝内传》的这一记载，也就多了几分可信性。

第七，在黄河前套地区已发现十多处新石器时代（准确说应该是先夏时期）的古城遗址，它们的主人可能先后有黄帝、共工、禹等。

第八，周穆王（前 976 年—前 922 年在位）曾经在黄河河套以南视察黄帝都城遗址。

（三）河宗氏陪同周穆王拜谒昆仑遗址黄帝宫

《五藏山经》记载的黄帝都城昆仑，后来被黄帝族放弃了，其原因可能是气候变迁，也可能是迁都到了中原地区（今日河南省境内）。总之，当年繁华的黄帝都城昆仑，逐渐退出了历史舞台，成为失落的文明。但是，有文字记载表明，大约在3000 年前，黄帝都城昆仑尚存可观的遗址，并迎来了周朝的一位著名的天子。

据《穆天子传》等史料记载，周穆王曾经实施对天下四方的考察和外交活动，其中最著名的是西征，西征的主要目的一是祭祀黄河，二是拜谒黄帝之宫，三是获得玉石资源，四是见西王母用丝绸等物品换取在天山南北狩猎的权力（主要目的是获得羽毛等资源），五是展示周王朝对西部地区的影响力。

周穆王十三年（公元前 964 年）闰二月，穆天子亲自率精锐部队六师西征，路线是从首都洛阳出发，沿太行山北上，经朔州（位于桑干河上游）、雁门关（今日山西省北部），舍于漆泽，猎得白狐玄貉等（用于祭祀黄河）。同年三月吉日戊午，穆天子抵达阳纡山，在河宗氏（世代负责祭祀黄河的部落）的陪同下，于燕然山脚下举行了隆重的祭祀黄河仪式。在祭祀黄河时，上天大帝（上帝、天帝）允若穆天子可以到昆仑丘看黄帝之宫，观春山之宝。此处的阳纡山，大体位于阴山山脉的大青山。漆泽即《山海经·五藏山经》记载的黄河源头"渤泽"，位于今日黄河前套一带的低洼区域，"漆泽"、"渤泽"都是黑色湖泽的意思。

穆天子一行在祭祀黄河之后，河宗氏自告奋勇，乘"渠黄"（骆驼）走在前面，充当穆天子的向导，继续西行之路。己未，穆天子大朝于黄之山，并"披图视典"，观天子礼器（由河宗氏保管）。乙丑，穆天子一行抵达河套西端（即今日河套低地亦即《西山经》所称稷泽）的温谷乐都（疑即《西山经》乐游山），这里也属于河宗氏管辖。戊午，穆天子宿于昆仑之阿、赤水之阳。吉日辛酉，穆天子升于昆仑之丘，观黄帝之宫（表明当时尚存黄帝都城遗址），封丰隆之葬（相当于给黄帝扫墓）。癸亥，穆天子燎祭昆仑丘，并指派专人守卫昆仑丘黄帝都城遗址。

据此可知，《穆天子传》十分明确地说，周穆王在西行途中，曾经到过古昆仑，参观过黄帝留下的宫殿遗址，并派了兵士看守保护。如果《穆天子传》可信，那么这就是有文字记载的唯一到过黄帝都城昆仑遗址的历史人物。这就表明，在3000年前，当时的昆仑地区上面还有黄帝的帝宫遗址存在。这反过来又证明，昆仑都城是真实存在的，史书关于黄帝的记载也是

有相当根据的。

许多古书都记载有巡守四方、周游天下的事迹，《开元占经》卷四引古本《竹书纪年》曰："穆王东征天下，二亿二千五百里；西征亿有九万里；南征亿有七百三里；北征二亿七里。"上述地理距离数字可能有夸张，但是周穆王曾经巡狩四方却应是事实。

根据《山海经》等古籍的记载，黄帝都城昆仑是一座繁荣的大都市，远远望去"其光熊熊，其气魂魂"（夜间灯火通明，白天炊烟袅袅），这里物产富饶，有人专职负责管理天文历法、皇家园林，以及守卫都城、为黄帝提供服务，等等。

那么，穆天子一行看到的黄帝都城昆仑遗址黄帝宫究竟是一座什么样的建筑呢？根据《海外南经》"昆仑虚在其东，虚四方"的记载，以及《尔雅（释丘）》"三成为昆仑丘"的解释，黄帝宫很可能是一座非常高大的三层四方台型建筑物，类似美洲金字塔，其上应该是黄帝祭祀天地、日月、鬼神的神庙，可称之为昆仑神庙。值得注意的是，在昆仑神庙前还有一座巨大的人首虎身雕像，它就是昆仑都城的守护神陆吾（又名开明、启明），陆吾的眼睛注视着东方，每天都目光炯炯地注视着金星（启明星）从东方升起。

当年黄帝祭祀天地、日月、鬼神的主要祭品是瑾瑜之玉（人工提炼的食盐晶体），《西山经》记有："又西北四百二十里，曰峚山，其上多丹木，员叶而赤茎，黄华而赤实，其味如饴。食之不饥。丹水出焉，西流注于稷泽。其中多白玉。是有玉膏，其原沸沸汤汤，黄帝是食是飨。是生玄玉。玉膏所出，以灌丹木；丹木五岁，五色乃清，五味乃馨。黄帝乃取峚山之玉荣，而投之钟山之阳。瑾瑜之玉为良，坚粟精密，浊泽而有光；五色发作，以和柔刚；天地鬼神，是食是飨；君子服之，以御不祥。自峚山至于钟山，四百六十里，其间尽泽也。是多奇鸟、怪兽、奇鱼，皆异物焉。"

那么，黄帝的都城为什么要称之为"昆仑"呢？长期以来学术界众说纷纭。从"昆仑"的字形字意来说，"昆"字象形之意是"高与太阳比邻"，"仑"字象形之意是"人的思想被简册记录下来"，也就是说"昆仑"是祭祀太阳神或天神、天帝的金字塔式高大神庙，因为它是黄帝都城最重要的最高大的地标性质的建筑物，因此黄帝的都城也就被称为昆仑。根据古埃及金字塔、玛雅的太阳金字塔，以及中国古代高大建筑物，可以推知昆仑这座神庙很可能有数十米甚至上百米之高，无论它是建造在平地上，还是建造在土丘上或高山的平顶上，都配得上"巍巍昆仑"之美誉。从这个角度来说，昆仑金字塔神庙不会消失得无影无踪——我们今天仍然有可能找到它！

何处寻找不周山

在中华民族的远古记忆里，与昆仑山齐名的另一座名山是不周山。不周山之所以赫赫有名，乃是因为古人相信它是支撑蓝天的八根天柱里唯一被撞倒的一个。事见《淮南子·天文训》所记："昔者共工与颛顼争为帝，怒而触不周之山，天柱折，地维绝。天倾西北，故日月星辰移焉；地不满东南，故水潦尘埃归焉。"

关于天柱的传说，亦见于《列子·汤问》："渤海之东，不知几亿万里，有大壑焉，实惟无底之谷，其下无底，名曰归墟。八纮九野之水，天汉之流，莫不注之，而无增无减焉。"所谓"九野"是把天地划分为八方和中央，九野之名据《吕氏春秋·有始》分别是中央均天、东方苍天、东北方变天、北方玄天、西北方幽天、西方颢（吴）天、西南方朱天、南方炎天、东南方阳天。所谓"八纮"是指位于八极的八根擎天柱，八极即东、南、西、北四方和东北、东南、西南、西北四隅；"纮"原指礼帽上的飘带，这里指固定擎天柱的绳子。

《淮南子·地形训》记有八根擎天柱的名字："八纮之外，乃有八极。自东北方曰方土之山，曰苍门；东方曰东极之山，曰开明之门；东南方曰波母之山，曰阳门；南方曰南极之山，曰暑门；西南方曰编驹之山，曰白门；西方曰西极之山，曰阊阖之门；西北方曰不周之山，曰幽都之门；北方曰北极之山，曰寒门。"据此可知，承担擎天柱的八座大山是方土之山、东极之山、波母之山、南极之山、编驹之山、西极之山、不周之山、北极之山。其中，只有波母山和不周山见于《山海经》。

《大荒东经》记有："大荒东南隅有山，名皮母地丘。东海之外，大荒之中，有山名曰大言，日月所出。有波谷山者，有大人之国。有大人之市，名曰大人之堂。有一大人踆其上，张其两臂。"大荒东南隅的皮母地丘、波谷山应该就是波母之山，而它在今天的地理位置已经不清楚了。

《西山经》记有："又西北三百七十里，曰不周之山。北望诸毗之山，临彼岳崇之山，东望渤泽，河水所潜也，其原浑浑泡泡。爰有嘉果，其实如桃，其叶如枣，黄华而赤柎，食之不劳。"据此可知。不周山位于今日黄河河套附近，它与岳崇山（崇吾山）相邻，北面是阴山山脉，东面是渤泽（今日黄河前套平原）。

《大荒西经》记有："西北海之外，大荒之隅，有山而不合，名曰不周负子，有两黄兽守之。有水曰寒暑之水。水西有湿山，水东有幕山。有禹攻共工国山。"所谓"不周负子"，表明不周山是共工族的发祥地；当地的寒暑之水（冷泉和温泉），其功能和性质，类似不咸山（长白山）的天池。在那洪荒岁月里，"沐浴生子"是一种虔诚的巫术，今日的圣水浴、泼水节、洗礼等风俗，都可能源于此种古老的习俗。由于不周山是共工族活动势力范围里的一处极其重要的地方，因此要"有两黄兽

守之"。所谓"两黄兽"，可能是由人装扮的保护神，或者是竖立着的共工部落保护神的塑像，也有可能是共工国战神相柳的造型。关于"有水曰寒暑之水"云云，应该也是渊源自有；有趣的是，山西省北部的宁武县有一个悬空村，该村居民世世代代都居住在山上，而且几乎个个都高寿八九十岁，据说是因为当地有神山神水，该山向阳面长年有煤炭自燃冒着热烟，背阴面有一个深不见底的冰洞，正符合"寒暑之水"的景观。凡此种种，均表明不周山是共工族的圣山。

所谓"禹攻共工国山"，记述的是禹族与共工族的战争，战场就在共工族的圣地不周山，共工族已经退守在自己的最后领地，其结局被记录在《山海经·海外北经》里。

《海外北经》称："共工之臣曰相柳氏，九首，以食于九山。相柳之所抵，厥为泽溪。禹杀相柳，其血腥，不可以树五谷种。禹厥之，三仞三沮，乃以为众帝之台。在昆仑之北，柔利之东。相柳者，九首人面，蛇身而青。不敢北射，畏共工之台。台在其东。台四方，隅有一蛇，虎色，首冲南方。"

《大荒北经》称："共工之臣名曰相繇，九首蛇身，自环，食于九土，其所歍所尼，即为源泽，不辛乃苦，百兽莫能处。禹湮洪水，杀相繇，其血腥臭，不可生谷，其地多水，不可居也。禹湮之，三仞三沮，乃以为池，群帝因是以为台，在昆仑之北。"

根据上述记载，禹族彻底战胜共工族，并且在共工族的领地建造了中国的金字塔群——众帝之台，这些金字塔的名称被记录在《海内北经》里："帝尧台、帝喾台、帝丹朱台、帝舜台，各二台，台四方，在昆仑东北。"其形状为四方台型，所谓"各二台"的"台"字，可能是"重"字之误（两个字的繁体字形相近），即众帝之台均为两层结构，属于阶梯形金字塔，与埃及早期的金字塔和美洲金字塔相似。此外，《大荒北经》还记有共工台："有系昆之山者，有共工之台，射者不敢北乡。"其建造的时间有可能早于大禹治水、战胜共工之后建造的众帝之台。

据有关方面报道，我国已在黄河河套地区发现属于史前时代（准确说应该是先夏时期）的城址 15 座，它们被命名为河套古城遗址群，主要分布于内蒙古境内阴山山脉以南的丘陵地带，特别是集中分布在黄河河套地区的包头大青山南麓，准格尔与清水河之间的南下黄河两岸，以及凉城岱海周围三个地区，这批石城遗址的年代约在距今 5000 年至 4300 年之间。上述史前城址均为石城聚落，其中凉城老虎山城址面积达 13 万平方米，其他多在 2 万平方米左右。这些石城聚落均临险而筑，有的直接利用陡峭山崖，因而石筑围墙并不完全封闭，属于因山就势而筑的防御色彩十分浓厚的城堡聚落。上述河套古城遗址群，很可能就是《山海经》记载的众帝之台的遗迹。

关于不周山的地理位置，还有若干其他说法。民间相传山西省长子县的西山就是不周山，而精卫填海的故事也发生在这里。或者传说宁夏和甘肃境内的六盘山为不周之山的残骸。此外，有人认为不周山是贺兰山，或者不周山在祁连山尾、不周山在帕米尔高原、不周山在非洲大裂谷，等等。

关于不周山的名字，郭璞注谓："此山形有缺不周帀处，因名云。西北风自此山出。"意即不周山是一座有缺口的环形山，也是西北风的风口。有趣的是，共工又名康回，见《楚

辞·天问》"康回冯怒，地何故以东南倾"；"回"字有环形的意思，"康"为广大，因此"康回"之名的含义也是大环形山，当得自共工族以环形山为圣山的习俗，以及共工撞倒不周山的事件。有趣的是，美洲印第安人也有对环形山的崇拜习俗，而种种迹象表明美洲印第安人曾受到中华文明的影响。美国学者埃里克·乌姆兰德在《古昔追踪》（江苏科技出版社）一书第 131 页记有："（位于美国北加利福尼亚州的沙斯塔峰是一座人迹罕至的火山），当地的美洲印第安人对火山口的锥形凹地一直怀有敬畏之情，相信这座山是某一个强大的种族的栖身之处。"

由于不周山的形状非常有特色，是一种有缺口的环形山，它应该是一处环状山脉，也有可能是一座火山口，或者是一处陨石坑。从共工撞倒不周山导致"天倾西北，故日月星辰移焉；地不满东南，故水潦尘埃归焉"的后果来看，好像是一次天外星体（小行星或彗星）撞击地球事件，此次撞击造成了地球自转轴的倾斜，以及北极星的位移，亦即"天倾西北，故日月星辰移焉"。进一步说，鉴于不周山的地理方位明确是在中原的西北方向。在这种情况下，我们今天完全有机会，通过航空拍照、卫星拍照和实地考察。重新找到这座承载着中华民族重要远古文明信息的不周山。

在大同、呼和浩特之间有一座小镇，名为凉城。凉城东北有一海拔 1100 米左右的湖，大约 12 千米宽，20 千米长，随水位变化其面积也可能改变。该湖被海拔 1800—2000 米左右的山脉包围，上述环形山脉有一大缺口和几个小缺口，它会不会就是我们苦苦找寻的不周山?!

第二十三卷 《山海经》中的部落世系

太皞、少昊部落世系

1. 有神十人，名曰女娲之肠，化为神，处栗广之野，横道而处。

2. 有九丘，以水络之，名曰：陶唐之丘、有叔得之丘、孟盈之丘、昆吾之丘、黑白之丘、赤望之丘、参卫之丘、武夫之丘、神民之丘。有木，青叶紫茎，玄华黄实，名曰建木，百仞无枝，有九欘，下有九枸，其实如麻，其叶如芒，大皞爰过，黄帝所为。

3. 西南有巴国。大皞生咸鸟，咸鸟生乘厘，乘厘生后照，后照是始为巴人。

4. 又西二百里，曰长留之山，其神白帝少昊居之；其兽皆文尾，其鸟皆文首，是多文玉石；实惟员神磈氏之宫，是神也，主司反景。

5. 东海之外大壑。少昊之国，少昊孺帝颛顼于此，弃其琴瑟。

6. 有山名曰齐州之山、君山、鬶山、鲜野山、鱼山。有人一目，当面中生。一曰是威姓，少昊之子，食黍。

7. 少昊生般，般是始为弓矢。

炎帝、蚩尤部落世系

1. 炎帝之妻，赤水之子听訞生炎居；炎居生节并，节并生戏器，戏器生祝融。祝融降处于江水，生共工；共工生术器，术器首方颠，是复土壤，以处江水。共工生后土，后土生噎鸣，噎鸣生岁十有二。

2. 又北二百里，曰发鸠之山，其上多柘木。有鸟焉，其状如乌，文首、白喙、赤足，名曰精卫，其鸣自詨。是炎帝之少女名曰女娃，女娃游于东海，溺而不返；故为精卫，常衔西山之木石，以堙于东海。漳水出焉，东流注于河。

3. 有互人之国。炎帝之孙，名曰灵恝，灵恝生互人，是能上下于天。

4. 炎帝之孙伯陵，伯陵同吴权之妻阿女缘妇，缘妇孕三年，是生鼓、延、殳。

5. 共工之臣曰相柳氏，九首，以食于九山。相柳之所抵，厥为泽溪。禹杀相柳，其血腥，不可以树五谷种。禹厥之，三仞三沮，乃以为众帝之台。在昆仑之北，柔利之东。相柳者，九首人面，蛇身而青。不敢北射，畏共工之台。台在其东。台四方，隅有一蛇，虎色，首冲南方。

6. 共工之臣名曰相繇，九首蛇身，自环，食于九土，其所歍所尼，即为源泽，不辛乃苦，百兽莫能处。禹湮洪水，杀相繇，其血腥臭，不可生谷，其地多水，不可居也。禹湮之，三仞三沮，乃以为池，群帝因是以为台，在昆仑之北。

7. 应龙己杀蚩尤，又杀夸父，乃去南方处之，故南方多雨。

黄帝部落世系

1. 又西北四百二十里，曰峚山，其上多丹木，员叶而赤茎，黄华而赤实，其味如饴，食之不饥。丹水出焉，西流注于稷泽。其中多白玉。是有玉膏，其原沸沸汤汤，黄帝是食是飨。是生玄玉。玉膏所出，以灌丹木；丹木五岁，五色乃清，五味乃馨。黄帝乃取峚山之玉荣，而投之钟山之阳。瑾瑜之玉为良，坚粟精密，浊泽而有光；五色发作，以和柔刚；天地鬼神，是食是飨；君子服之，以御不祥。

2. 流沙之东，黑水之西，有朝云之国、司彘之国。黄帝妻雷祖，生昌意。昌意降处若水，生韩流。韩流擢首、谨耳、人面、豕喙、麟身、渠股、豚止，取淖子曰阿女，生帝颛顼。

3. 有人衣青衣，名曰黄帝女魃。蚩尤作兵伐黄帝，黄帝乃令应龙攻之冀州之野。应龙畜水，蚩尤请风伯、雨师，纵大风雨。黄帝乃下天女曰魃，雨止，遂杀蚩尤。

4. 黄帝生骆明，骆明生白马，白马是为鲧。

5. 黄帝生禺貌，禺貌生禺京。禺京处北海，禺貌处东海，是为海神。

6. 有北狄之国。黄帝之孙曰始均，始均生北狄。

帝颛顼部落世系

1. 流沙之东，黑水之西，有朝云之国、司彘之国。黄帝妻雷祖，生昌意。昌意降处若水，生韩流。韩流擢首、谨耳、人面、豕喙、麟身、渠股、豚止，取淖子曰阿女，生帝颛顼。

2. 东海之外大壑。少昊之国，少昊孺帝颛顼于此，弃其琴瑟。

3. 有鱼偏枯，名曰鱼妇，颛顼死即复苏。风道北来，天乃大水泉，蛇乃化为鱼，是为鱼妇。颛顼死即复苏。

4. 范林方三百里，在三桑东，洲环其下。务隅之山，帝颛顼葬于阳，九嫔葬于阴。

5. 东北海之外，大荒之中，河水之间，附禺之山，帝颛顼与九嫔葬焉。

6. 又有成山，甘水穷焉。有季禺之国，颛顼之子，食黍。有羽民之国，其民皆生毛羽。有卵民之国，其民皆生卵。

7. 有国曰颛顼，生伯服，食黍。

8. 有国名曰淑士，颛顼之子。

9. 颛顼生老童，老童生祝融，祝融生太子长琴，是处摇山，始作乐风。

10. 颛顼生老童，老童生重及黎，帝令重献上天，令黎邛下地，下地是生噎，处于西极，以行日月星辰之行次。

11. 大荒之中，有山名曰大荒之山，日月所人。有人焉三面，是颛顼之子，三面一臂，三面之人不死，是谓大荒之野。

12. 有叔歜国，颛顼之子，黍食，使四鸟：虎、豹、熊、罴。有黑虫如熊状，名曰猎猎。

13. 西北海外，流沙之东，有国名曰中輶，颛顼之子，食黍。

14. 颛顼生驩头，驩头生苗民，苗民釐姓，食肉。

帝俊部落世系

1. 有五采之鸟，相乡弃沙。惟帝俊下友。帝下两坛，采鸟是司。

2. 东南海之外，甘水之间，有羲和之国。有女子名曰羲和，方日浴于甘渊。羲和者，帝俊之妻，生十日。

3. 有女子方浴月。帝俊妻常羲，生月十有二，此始浴之。

4. 帝俊赐羿彤弓素矰，以扶下国，羿是始去恤下地之百艰。

5. 大荒之中，有不庭之山，荣水穷焉。有人三身，帝俊妻娥皇，生此三身之国，姚姓，黍食，使四鸟。

6. 有中容之国。帝俊生中容，中容人食兽、木实，使四鸟：豹、虎、熊、罴。

7. 有司幽之国。帝俊生晏龙，晏龙生司幽。司幽生思士，不妻；思女，不夫。食黍，食兽，是使四鸟。有大阿之山者。

8. 有白民之国。帝俊生帝鸿，帝鸿生白民。白民销姓，黍食，使四鸟：虎、豹、熊、罴。

9. 有黑齿之国。帝俊生黑齿，姜姓，黍食，使四鸟。

10. 有襄山。又有重阴之山。有人食兽，曰季釐。帝俊生季釐，故曰季釐之国。有缗渊，少昊生倍伐，倍伐降处缗渊。有水四方，名曰俊坛。

11. 有西周之国，姬姓，食谷。有人方耕，名曰叔均。帝俊生后稷，稷降以百谷。稷之弟曰台玺，生叔均，叔均是代其父及稷播百谷，始作耕。有赤国妻氏。有双山。

12. 帝俊生禺号，禺号生淫梁，淫梁生番禺，是始为舟。番禺生奚仲，奚仲生吉光，吉光是始以木为车。

13. 帝俊生晏龙，晏龙是为琴瑟。

14. 帝俊有子八人，是始为歌舞。

15. 帝俊生三身，三身生义均，义均是始为巧倕，是始作下民百巧。

帝尧、帝舜部落世系

1. 帝尧台、帝喾台、帝丹朱台、帝舜台，各二台，台四方，在昆仑东北。

2. 狄山，帝尧葬于阳，帝喾葬于阴。

3. 帝尧、帝喾、帝舜葬于岳山。

4. 大荒之中，有不庭之山，荣水穷焉。有人三身，帝俊妻娥皇，生此三身之国，姚姓，黍食，使四鸟。有渊四方，四隅皆达，北属黑水，南属大荒；北旁名曰少和之渊，南旁名曰从渊，舜之所浴也。

5. 舜妻登比氏生宵明、烛光，处河大泽，二女之灵能照此所方百里。一曰登北氏。

6. 苍梧之山，帝舜葬于阳，帝丹朱葬于阴。

7. 南方苍梧之丘，苍梧之渊，其中有九嶷山，舜之所葬，在长沙零陵界中。

8. 有载民之国。帝舜生无淫，降载处，是谓巫载民。

9. 帝舜生戏，戏生摇民。

鲧、禹部落世系

1. 黄帝生骆明，骆明生白马，白马是为鲧。

2. 洪水滔天。鲧窃帝之息壤以堙洪水，不待帝命。帝令祝融杀鲧于羽郊。鲧复生禹。帝乃命禹卒布土以定九州。（禹鲧是始布土，均定九州。）

3. 帝命竖亥步，自东极至于西极，五亿十选九千八百步。竖亥右手把算，左手指青丘北。一曰禹令竖亥。一曰五亿十万九千八百步。

4. 禹杀相柳，其血腥，不可以树五谷种。禹厥之，三仞三沮，乃以为众帝之台。

5. 共工之臣名曰相繇，九首蛇身，自环，食于九土，其所歍所尼，即为源泽，不辛乃苦，百兽莫能处。禹湮洪水，杀相繇，其血腥臭，不可生谷，其地多水，不可居也。禹湮之，三仞三沮，乃以为池，群帝因是以为台，在昆仑之北。

6. 有云雨之山，有木名曰栾。禹攻云雨，有赤石焉生栾，黄本，赤枝，青叶，群帝焉取药。

7. 西北海之外，大荒之隅，有山而不合，名曰不周负子，有两黄兽守之。有水曰寒暑之水，水西有湿山，水东有幕山，有禹攻共工国山。

8. 禹生均国，均国生役采，役采生修鞈，修鞈杀绰人。帝念之，潜为之国，是此毛民。

9. 大乐之野，夏后启于此舞九代。乘两龙，云盖三层。左手操翳，右手操环，佩玉璜。在大运山北。一曰大遗之野。

10. 西南海之外，赤水之南，流沙之西，有人珥两青蛇，乘两龙，名曰夏后开。开上三嫔于天，得《九辩》与《九歌》以下。此天穆之野，高二千仞，开焉得始歌《九招》。

11. 夏后启之臣曰孟涂，是司神于巴，人请讼于孟涂之所，其衣有血者乃执之，是清生，居山上，在丹山西。丹山在丹阳南，丹阳居属也。

12. 有人无首，操戈盾立，名曰夏耕之尸。故成汤伐夏桀于章山，克之，斩耕厥前。耕既立，无首，走厥咎，乃降于巫山。

四岳部落世系

1. 有寿麻之国。南岳娶州山女，名曰女虔。女虔生季格，季格生寿麻。寿麻正立无景，疾呼无响。爰有大暑，不可以往。

2. 伯夷父生西岳，西岳生先龙，先龙是始生氐羌，氐羌乞姓。

【鉴赏】

《山海经》记录有丰富的远古部落世系信息，其中许多信息都是独有的或不可多得的，这对于我们今天追溯中华民族各民族的起源与发展演变过程有着极其重要的价值和深远的意义。

1. 揭示了太昊与少昊的血缘关系

伏羲（太昊）、女娲是中华民族的人文始祖，但是古籍缺少关于伏羲直系后裔的记述。根据《山海经》中"大皞生咸鸟，咸鸟生乘厘，乘厘生后照"的记载，大皞即太昊，咸鸟之意与少昊百鸟王国相同，而后照意即少昊（昊即阳光照耀），这是我国古籍中记录太昊族与少昊族有着血缘传承关系的珍贵文献，从而弥补了古书遗失伏羲后裔记述的缺憾。

2. 记述了炎帝的直系后裔

炎帝、蚩尤和黄帝是中华民族的历史始祖，司马迁撰写的中国历史名著《史记·五帝本纪》首述的就是炎帝、蚩尤和黄帝的事迹。炎帝族是中国古代最著名的民族之一，炎帝对人类文明的主要贡献是发明推广农业生产技术和发现草药，因此又号称神农、烈山氏。

众所周知，古籍对黄帝直系后裔的记述非常丰富和详尽，但是有关炎帝直系后裔的记述却很少，仅《国语，鲁语上》记有："昔烈山氏之有天下也，其子曰柱，能植百谷百蔬。夏之兴也，周弃继之，故祀以为稷。"

在这种情况下，《山海经》关于炎帝族群及其后裔的记述，就显得格外弥足珍贵了。事实上，正是通过《山海经》的记载，我们才能够知道炎帝之妻听訞和他们的后裔炎居、节并、戏器、祝融、共工、术器、后土、噎鸣、信、夸父，以及炎帝少女女娃，炎帝后裔灵恝、互人，炎帝后裔伯陵、鼓、延、殳。此外，《山海经》还记述有炎帝部落联盟的主要成员蚩尤部落的重要信息。

3. 丰富了黄帝部落世系的资料

黄帝部落世系的重要一环是帝颛顼，《山海经》关于帝颛顼及其部落世系的记载丰富了黄帝部落世系的资料。例如，养猪部落（或以猪为图腾的部落）韩流取淖子曰阿女生帝颛顼，少昊孺帝颛顼的故事，以及帝颛顼的众多后裔，诸如朝云之国、司彘之国，季禺之国、羽民之国、卵民之国，颛顼国、伯服，淑士国，老童、祝融、太子长琴，重、黎、噓（噎、噎鸣），三面人，叔歜国，中轮国，驩头、苗民。

4. 独家记载了帝俊事迹及其繁盛的后裔

其他古籍中几乎没有帝俊的记述，而《山海经》的《大荒四经》和《海内五经》却记载了大量关于帝俊的事迹及其繁盛后裔的内容，其意义和价值是不言而喻的。帝俊之妻有羲和、常羲、娥皇，帝俊后裔有三身、义均、巧倕，中容，晏龙、司幽、思士、思女，帝鸿、白民，黑齿，季釐，后稷、台玺、叔均，禺号、淫梁、番禺、奚仲、吉光，晏龙，八子，大比赤阴（赤国妻氏）。

此外，《西山经》中记有"又西三百五十里，曰天山，多金玉，有青雄黄。英水出焉，而西南流注于汤谷。有神焉，其状如黄囊，赤如丹火，六足四翼，浑敦无面目，是识歌舞，实为帝江也。"帝江即帝鸿，亦即帝俊后裔。

5. 丰富了帝舜部落世系的资料

《山海经》记录了许多其他古籍没有的关于帝舜事迹的内容，丰富了帝舜部落世系的资料。《史记》只记录有帝尧把自己的两个女儿娥皇、女英嫁给帝舜的故事，《山海经》则记述了舜妻登比氏生宵明、烛光的故事，以及帝舜的后裔无淫（巫载民）、戏、摇民。

由于帝舜与帝俊事迹多有相合之处，而其名称、形貌亦有相似之处，因此不少学者认为帝俊即帝舜，但是两者实际上是有区别的，不可等同观之。大体而言，帝俊涉及的时间段更久远，而帝舜似乎更像是帝俊族群的核心部落成员。或者，帝俊代表着纯粹的殷商人的先祖，而帝舜则是进入黄帝族的殷商人的先祖。

6. 丰富了帝禹部落世系的资料

帝禹是中国先夏时期最著名的部落首领之一，他的重大历史贡献是治理洪水（世界其他民族只有逃避洪水的故事）、主持人类历史上最早最大规模的国土资源考察活动、划分九州。关于帝禹的后裔，《史记》等古籍仅记有夏后启是禹的儿子。对比之下，《山海经》则记载了禹的另一支后裔均国、役采、修鞈。

7. 记载了四岳部落世系的资料

《史记》等古籍记有四岳，例如帝尧曾征求四岳对治理洪水工作人选的意见，但是仅仅是笼统的提及而已。对比之下，《山海经》则记载有南岳娶州山女名曰女虔，女虔生季格，季格生寿麻。以及伯夷父生西岳，西岳生先龙，先龙是始生氐羌，氐羌乞姓。

8. 记载了帝台的事迹

《史记》等古籍均没有帝台的记载，唯独《山海经》不但记载了帝台的事迹，而且记述其文明已经相当发达。一种可能是，帝台实际上是帝禹的另一种称呼，帝台的事迹就是帝禹的事迹。

9. 记载了西王母的真实事迹

《山海经》多处记载了西王母的事迹，其内容比其他古书的相关记述要更真实。由于《山海经》和其他古籍均未见关于西王母后裔的记载，这或许表明西王母这个族群始终都没有分化，而且始终都保持着母系社会的生存模式。根据《穆天子传》，公元前八九百年前，周穆王西行至天山会见西王母，用

　　丝绸换取在天山以北的准噶尔原野猎取羽毛的狩猎权。此后有关西王母的记载，越来越具有神话小说的性质。

　　此外，有必要补充一份有关丹朱的历史资料。《国语·周语》："昔昭王娶于房，曰房后，实有爽德，协于丹朱。丹朱凭身以仪之，生穆王焉。"所谓"房"即今湖北省房县，"丹朱"当即尧时丹朱族的后裔或其神，表明周王室与丹朱后裔有着通婚关系。在我国古史传说里，乘马车远游（征）最著名的就要算是周穆王了。《列子·周穆王》称其不恤国事，不乐臣妾，肆意远游，命造父驾驶着八匹宝马拉的车，千里迢迢西行见西王母。《左传》称："穆王欲肆其心，周行于天下，将皆使有车辙马迹焉。"《史记·秦始皇本纪》云："徐偃王作乱，造父为缪（穆）王御，长驱归周，一日千里以救乱。"公元 281 年（晋太康二年），汲县（今河南省境内）有人盗墓，出土一大批珍贵的古代图书，其中有《竹书纪年》和《穆天子传》，皆竹简素丝编，简长二尺四寸，每简四十字，以墨书。《穆天子传》共六卷，详细记述周穆王一行（包括七萃之士）的旅途日程、路线及所到之地、所见之人，从其文辞语气来看当系实录，而周穆王当年远征所到之地可能深入到今天的中亚地区。

第二十四卷 《山海经》的远方异国

远在南方的国度

1. 结匈国在其西南，其为人结匈。

2. 羽民国在其东南，其为人长头，身生羽。一曰在比翼鸟东南，其为人长颊。

3. 讙头国在其南，其为人人面有翼，鸟喙，方捕鱼。一曰在毕方东。或曰讙朱国。

4. 厌火国在其南，兽身黑色，生火出其口中。一曰在讙朱东。

5. 三苗国在赤水东，其为人相随。一曰三毛国。

6. 戴国在其东，其为人黄，能操弓射蛇。一日盛国在三毛东。

7. 贯匈国在其东，其为人匈有窍。一曰在戴国东。

8. 交胫国在其东，其为人交胫。一曰在穿匈东。

9. 不死民在其东，其为人黑色，寿，不死。一曰在穿匈国东。

10. 岐舌国在其东。一曰在不死民东。

11. 三首国在其东，其为人一身三首。一曰在凿齿东。

12. 周饶国在其东，其为人短小，冠带。一曰焦侥国在三

首东。

13. 长臂国在其东，捕鱼水中，两手各操一鱼。一曰在焦侥东，捕鱼海中。

14. 又有成山，甘水穷焉。有季禺之国，颛顼之子，食黍。有羽民之国，其民皆生毛羽。有卵民之国，其民皆生卵。

15. 大荒之中……有盈民之国，於姓，黍食。

16. 又有人方食木叶。有不死之国，阿姓，甘木是食。

17. 有载民之国。……朌姓，食谷。不绩不经，服也；不稼不穑，食也。爰有歌舞之鸟，鸾鸟自歌，凤鸟自舞。爰有百兽，相群爰处。百谷所聚。

18. 有蜮山者，有蜮民之国，桑姓，食黍，射蜮是食。有人方扞弓射黄蛇，名曰蜮人。

19. 有小人，名曰焦侥之国，几姓，嘉谷是食。

20. 有国曰颛顼，生伯服，食黍。

21. 有鼬姓之国。有苕山。又有宗山。又有姓山。又有壑山。又有陈州山。又有东州山。

22. 海中有张弘之国，食鱼，使四鸟。

23. 大荒之中，有人名曰驩头……人面鸟喙，有翼，食海中鱼，杖翼而行。维宜苣苣，穋杨是食。有驩头之国。

24. 东南海之外，甘水之间，有羲和之国。

25. 伯虑国、离耳国、雕题国、北朐国，皆在郁水南。郁水出湘陵南海。一曰相虑。

26，枭阳国在北朐之西，其为人人面长唇，黑身有毛，反踵，见人笑亦笑，左手操管。

27. 氏人国在建木西，其为人面而鱼身，无足。

28. 有列襄之国。有灵山，有赤蛇在木上，名曰蝡蛇，木食。

29. 有盐长之国。有人焉鸟首，名曰鸟氏。

30. 西南有巴国。大皞生咸鸟，咸鸟生乘厘，乘厘生后照，后照是始为巴人。

31. 又有朱卷之国。有黑蛇，青首，食象。

远在西方的国度

1. 三身国在夏后启北，一首而三身。

2. 一臂国在其北，一臂一目一鼻孔。有黄马虎文，一目而一手。

3. 奇肱之国在其北，其人一臂三目，有阴有阳，乘文马。有鸟焉，两头，赤黄色，在其旁。

4. 丈夫国在维鸟北，其为人衣冠带剑。

5. 巫咸国在女丑北，右手操青蛇，左手操赤蛇。在登葆山，群巫所从上下也。

6. 女子国在巫咸北，两女子居，水周之。一曰居一门中。

7. 轩辕之国在此穷山之际，其不寿者八百岁。在女子国北。人面蛇身，尾交首上。

8. 白民之国在龙鱼北，白身被发。有乘黄，其状如狐，其背上有角，乘之寿二千岁。

9. 肃慎之国在白民北，有树名曰雄常，先人代帝，于此取之。

10. 长股之国在雄常北，被发。一曰长脚。

11. 有国名曰淑士，颛顼之子。

12。有大泽之长山。有白氏之国。

13. 西北海之外，赤水之东，有长胫之国。

14. 有西周之国，姬姓，食谷。

15. 西北海之外，赤水之西，有先民之国，食谷，使四鸟。

16. 有北狄之国。黄帝之孙曰始均，始均生北狄。

17. 有沃之国，沃民是处沃之野，凤鸟之卵是食，甘露是饮。凡其所欲，其味尽存。爰有甘华、甘祖、白柳、视肉、三骓、璇瑰、瑶碧、白木、琅玕、白丹、青丹，多银铁。鸾鸟自歌，凤鸟自舞，爰有百兽，相群是处，是谓沃之野。

18. 有女子之国。

19. 有桃山。有䖝山。有桂山。有于土山。有丈夫之国。

20. 有轩辕之国，江山之南栖为吉，不寿者乃八百岁。

21. 有寒荒之国，有二人女祭、女薎。

22。有寿麻之国。……寿麻正立无景，疾呼无响。爰有大暑，不可以往。

23. 有盖山之国。有树，赤皮支干，青叶，名曰朱木。

24. 有互人之国。炎帝之孙，名曰灵恝，灵恝生互人，是能上下于天。

25. 西海之内，流沙之中，有国名曰壑市。

26. 西海之内，流沙之西，有国名曰氾叶。

27. 有钉灵之国，其民从膝已下有毛，马蹄善走。

远在北方的国度

1. 无綮之国，在长股东，为人无綮。

2. 一目国在其东，一目中其面而居。一曰有手足。

3. 柔利国在一目东，为人一手一足，反膝，曲足居上。一云留利之国，人足反折。

4. 深目国在其东，为人举一手一目，在共工台东。

5. 无肠之国在深目东，其为人长而无肠。

6. 聂耳之国在无肠国东，使两文虎。为人两手聂其耳，县居海水中，及水所出入奇物。两虎在其东。

7. 拘缨之国在其东，一手把缨。一曰利缨之国。

8. 跂踵国在拘缨东，其为人大，两足亦大。一曰大踵。

9. 有胡不与之国，烈姓，黍食。

10. 有肃慎氏之国。有蜚蛭，四翼。有虫，兽首蛇身，名曰琴虫。

11. 有大人之国，釐姓，黍食。有大青蛇，黄头，食麈。有榆山。

12. 有叔歜国，颛顼之子，黍食，使四鸟：虎、豹、熊、罴。有黑虫如熊状，名曰猎猎。

13. 有北齐之国，姜姓，使虎、豹、熊、罴。

14. 有始州之国。有丹山。有大泽方千里，群鸟所解。

15. 有毛民之国，依姓，食黍，使四鸟。

16. 有儋耳之国，任姓，禺号子，食谷。

17. 又有无肠之国，是任姓，无继子，食鱼。

18. 有人方食鱼，名曰深目民之国，盼姓，食鱼。

19. 西北海外，流沙之东，有国名曰中輻，颛顼之子，食黍。

20. 有国名曰赖丘。

21. 有犬戎国，有神，人面兽身，名曰犬戎。

22. 有牛黎之国，有人无骨，儋耳之子。

23. 匈奴、开题之国、列人之国并在西北。

24. 犬封国，曰犬戎国，状如犬。有一女子，方跪进杯食。有文马，缟身朱鬣，目若黄金，名曰吉量，乘之寿千岁。

25. 鬼国在贰负之尸北，为物人面而一目。一曰贰负神在其东，为物人面蛇身。

26. 林氏国有珍兽，大若虎，五采毕具，尾长于身，名曰驺吾，乘之日行千里。

27. 貊国在汉水东北。地近于燕，灭之。

远在东方的国度

1. 大人国在其北，为人大，坐而削船。一曰在壁丘北。

2. 君子国在其北，衣冠带剑，食兽，使二文虎在旁，其人好让不争。有薰华草，朝生夕死。一曰在肝榆之尸北。

3. 青丘国在其北，其狐四足九尾。一曰在朝阳北。

4. 黑齿国在其北，为人黑，食稻啖蛇，一赤一青，在其旁。一曰在竖亥北，为人黑首，食稻使蛇，其一蛇赤。

5. 玄股之国在其北，其为人衣鱼、食鸥，使两鸟夹之。一曰在雨师妾北。

6. 毛民之国在其北，为人身生毛。一曰在玄股北。

7. 劳民国在其北，其为人黑。或曰教民。一曰在毛民北，为人面目手足尽黑。

8. 东海之外大壑。少昊之国，少昊孺帝颛顼于此，弃其琴瑟。

9. 有大人之国。有大人之市，名曰大人之堂。有一大人踆其上，张其两臂。

10. 有小人国，名靖人。

11. 有葛国，黍食，使四鸟：虎、豹、熊、罴。

12. 有中容之国。帝俊生中容，中容人食兽、木实，使四鸟：豹、虎、熊、罴。

13. 有东口之山。有君子之国，其人衣冠带剑。

14. 有司幽之国……食黍，食兽，是使四鸟。有大阿之山者。

15. 有白民之国……白民销姓，黍食，使四鸟：虎、豹、熊、罴。

16. 有青丘之国，有狐，九尾。

17. 有柔仆民，是维嬴土之国。

18. 有黑齿之国。……姜姓，黍食，使四鸟。

19. 有夏州之国。有盖余之国。

20. 有招摇山，融水出焉。有国曰玄股，黍食，使四鸟。

21. 有困民国，勾姓而食。

22. 有女和月母之国。有人名曰鹓，北方曰鹓，来之风曰狋，是处东北隅，以止日月，使无相间出没，司其短长。

23. 盖国在钜燕南，倭北。倭属燕。

24. 列姑射在海河州中。射姑国在海中，属列姑射，西南，山环之。

25. 东海之内，北海之隅，有国名曰朝鲜。

【鉴赏】

《山海经》记载了众多远方异国，一般来说，《山海经》凡是称之为"国"的地方，其社会管理体制大体均属于古国或方国性质，即拥有相对独立的社会管理体制，以及相应的类似首都的管理中心和政治、经济、人口聚集区。

需要说明的是，《海外四经》、《大荒四经》记载的远在南方、西方、北方、东方的国度，其地理方位基本准确。对比之下，《海内五经》记载的远方异国的地理方位则存在着较多的错简和不确定性，为方便读者，本文已对若干错简进行了校正。此外《五藏山经》的"见则其国如何"的记述，虽然也可能涉及古国和方国的内容，但是由于没有明确指出，因此本文没有收入进来。同理，《海外四经》、《大荒四经》、《海内五经》对"某某民"的记述，虽然也可能涉及古国和方国的内容，但是由于没有明确指出，本文也没有收入进来。

大体而言，《山海经》记述的远在南方的国度，计有 38 国（包括若干同名者，下同）。远在西方的国度，计有 36 国。远在北方的国度，计有 30 国。远在东方的国度，计有 25 国。未能确定方位的国度，计有 5 国。其中，朝云国、司彘国的方位可能属于北方，也可能属于西方。流黄酆氏国、流黄辛氏国的方位，可能属于北方，也可能属于西方，还可能属于南方。至于"帝俊赐羿彤弓素矰，以扶下国"的下国，则可能指众多方国。对比之下，《淮南子·地形训》记载的远方异国仅有 36 国，要比《山海经》少许多。

有必要指出的是，《山海经》关于远方异国的描述，对后世产生了深远和持续的影响，此后类似的著作有《穆天子传》、《拾遗记》、《神异经》、《东周列国志》、《四游记》、《封神演义》、《镜花缘》、《聊斋》、《海外苗夷图》等。其中，流行于明朝末年的《四游记》（上海古籍出版社，1985 年）是由《东游记》（吴元泰著）、《南游记》（余象斗著）、《西游记》（杨志和著）、《北游记》（余象斗著）合辑而成。《东游记》描述八仙过海故事，《南游记》描述华光战妖魔故事，《西游记》描述孙悟空战妖魔故事（系目前流行版《西游记》的缩编），《北游记》描述祖师（北方玄武大帝）生平故事。进一步说，如今的妖魔小说、武侠小说、科幻小说、探险小说、动漫小说，或多或少都受到《山海经》的影响。

事实上，在《山海经》记述的百科全书性质的丰富信息里，远方异国是最迷人的内容之一，尽管它对每个远方异国的描述虽然常常是只言片语，但却总是能够给读者留下无限的遐想空间和探索未知世界的冲动：

这些远方异国的居民，他们当年居住在哪里？这些远方异国的居民，他们当年是如何生存的？这些远方异国的居民，他们当年有什么喜怒哀乐和忧伤？他们是今天谁的祖先?！我们这些后人该到哪里去凭吊他们？以寄托我们的感恩之情！我们的祖先——步步从远古走来，我们和我们的后代还将一步步走向未来；怀着永不熄灭的好奇心，去寻找浩瀚宇宙中的远方异国。生命在延续，生命智力在发展，这就是人类的历史！同时也是生命智力的历史！

第二十五卷 《山海经》中的怪兽

《山海经》中的怪兽

　　我们的祖先生活在大自然的怀抱之中，他们对大自然的一切都饶有兴趣，那些能够在天空飞的动物、能够在水中游的动物、能够在原野上奔驰的动物、能够在树上跳来跳去的动物，对人类生存有价值的动物，更是人类特别关注的对象，在中华远古文明宝典《山海经》里就记述有许许多多的动物。

　　有学者统计，《南山经》记有 19 处普通动物、23 处特殊动物，《西山经》记有 59 处普通动物、49 处特殊动物，《北山经》记有普通动物 27 处、特殊动物 53 处，《东山经》记有普通动物 23 处、特殊动物 28 处，《中山经》记有普通动物 130 处、特殊动物 42 处。

　　《海外南经》提到动物（兽、鸟、虫、鱼、蛇、虎、犬、龙等，以及部分国名、地名、神名里涉及的动物）33 处，《海外西经》提到动物 38 处，《海外北经》提到动物 33 处，《海外东经》提到动物 20 处。

　　《大荒东经》提到动物 49 处，《大荒南经》提到动物 58 处，《大荒西经》提到动物 51 处，《大荒北经》提到动物 57 处。

《海内南经》提到动物 24 处，《海内西经》提到动物 29 处，《海内北经》提到动物 31 处，《海内东经》提到动物 4 处，《海内经》提到动物 41 处。

毋庸置疑，《山海经》一个特别迷人之处就在于它描述了形形色色的神奇动物。对此，每一个读者都会不由自主地问道：这些奇异的怪兽，它们真的曾经存在过吗？它们是像恐龙一样灭绝了呢？还是迁徙到了远方？抑或进化变异成为了其他的动物？它们是巫师装扮成的还是巫师设计制造出来的？难道它们都是古人凭空想象出来的？古人的想象力会有这么丰富吗？今天就让我们一起来寻找答案吧！

鹿蜀是否是"指鹿为马" 成语故事里的主角

《史记·秦始皇本纪》记有:"赵高欲为乱,恐群臣不听,乃先设验,持鹿献于二世,曰:'马也。'二世笑曰:'丞相误邪?谓鹿为马。'问左右,左右或默,或言马以阿顺赵高。或言鹿,高因阴中诸言鹿者以法,后群臣皆畏高。"

相信很多人当年在课堂听到指鹿为马这则故事时,心里都隐约会有些疑惑:赵高公然拉来一头梅花鹿,就愣敢对秦二世说是马——这不是显得过于蛮横了吗?而且还有一点冒险,因为秦二世不是傻瓜,拥护秦二世的大臣也不是傻瓜,他们会一眼就看破赵高的用意,并采取必要的措施削减赵高的权力。问题是,如果赵高牵来的奇异动物不是梅花鹿,它又会是什么当时人们并不熟悉的动物呢?

有趣的是,《南山经》南次一经记述有一种名叫"鹿蜀"的奇异动物:"又东三百七十里,曰杻阳之山,其阳多赤金,其阴多白金。有兽焉,其状如马而白首,其文如虎而赤尾,其音如谣,其名曰鹿蜀,佩之宜子孙。怪水出焉,而东流注于宪翼之水;其中多玄龟,其状如龟而鸟首虺尾,其名曰旋龟,其音如判木,佩之不聋,可以为底。"

关于鹿蜀是今天的什么动物，以往人们通常都把它解读为斑马。其实，鹿蜀并不是斑马，而是四千多年前栖息在中国南方的一种类似马鹿的奇异动物。理由是，"鹿蜀"的"蜀"字意思是马头蚕，据此鹿蜀应该是一种像马的鹿，亦即马鹿，准确说鹿蜀是一种当年栖息在南方的马鹿，可惜它早已灭绝了。马鹿是一种仅次于驼鹿的大型鹿类，因为体形似骏马而得名，栖息于非洲、欧洲、北美洲和亚洲，目前在我国北方和喜马拉雅山地区也有分布。

更有力的证据是，斑马从未闻有"宜子孙"的功效，而马鹿的鹿茸则是名贵中药材，而且产量很高，鹿胎、鹿鞭、鹿尾和鹿筋也是名贵的滋补品，它们确实具有"宜子孙"药效。有趣的是，初生的马鹿幼仔体毛呈黄褐色，有白色斑点，也符合鹿蜀"其文如虎"的特征。进一步说，在《山海经》中，凡是说"食之"如何的动物、植物，无论它们怎么奇形怪状，通常都是自然界真实存在的生物。对比之下，那些能够预测未来的神奇动物，则有可能是由巫师装扮成的。

据此可以推知，两千多年前赵高牵来的那只既像是马、又像是鹿的奇异动物，很可能就是赵高派人从南方找来的仅存的珍稀动物鹿蜀。这种又像马又像鹿的动物，让秦二世和群臣一时难以判断它究竟是马还是鹿。赵高算定秦二世会说是鹿，就故意说是马，同时观察群臣的态度，然后再找机会把与自己意见不同的大臣逐一排挤出权力圈，显然这样做可进退自如，更能显示出赵高的精明与狡猾。也就是说，"指鹿为马"这则在我国流传甚广的成语故事里的动物主角很可能就是类似马鹿的珍稀动物鹿蜀，而不是人们通常误解的普普通通的梅花鹿。

尾部有窍的"罴"
是否是藏羚羊

《北山经》北次三经记有一种名叫"罴"的奇异动物："又北五百里，曰伦山。伦水出焉，而东流注于河。有兽焉，其状如麋，其川在尾上，其名曰罴。"显然，这里的罴，不是熊罴的罴，而是一种样子像麋鹿的动物；奇怪的是它的尾部有窍，而这个窍不会是指通常的生殖、排泄通道口，否则就没有必要特别记述它的存在了。

那么，"川在尾上"究竟描述的是一种什么特殊的器官结构呢？值得注意的是，生活在青藏高原的藏民早就发现藏羚羊的四肢上部各有一个气囊，每个气囊都有特殊的窍口，后肢的窍口就位于尾部，而且比较明显。通常在藏羚羊奔跑时，这些气囊才会鼓胀起来，而这些气囊只是在近年才被科学界注意到。说到这里，许多读者都可能会恍然大悟："川在尾上"的奇异动物罴，会不会就是一种类似今天藏羚羊的动物啊！

在青藏高原海拔 4000 米—6000 米的荒漠草甸高原、高原草原等区域，栖息着国家一级保护动物藏羚羊。藏羚羊的体形与黄羊相似，体长 117—146 厘米，尾长 15—20 厘米，肩高

75—91 厘米，体重45—60 千克，寿命最长约8 年。藏羚羊性情胆怯，通常在早晨和黄昏结成小群活动、觅食。藏羚羊的绒毛纤维细密，只有人毛发的五分之一，保暖性极佳，曾长期成为偷猎者的目标。藏羚羊善于奔跑，最高时速可达80 千米，能够以60 千米的时速连续奔跑20—30 千米，使猎食者望尘莫及。

众所周知，海拔高度与空气含氧量存在着反比关系，即海拔越高空气中含氧量越低。海拔高度0 米（海平面）的空气中含氧量为20.95%，海拔3000 米空气含氧量为16.15%，海拔4000 米的空气含氧量为14.55%，海拔5000 米的含氧量为13.95%，海拔6000 米的含氧量为11.35%。如果以海平面的含氧量为100%计算，那么海拔3000 米的含氧量为海平面含氧量的77.1%，海拔4000 米的含氧量为海平面含氧量的69.5%，海拔 5000 米为 61.8%，海拔 6000 米仅为 54%（上述数字因各地的湿度、温度等具体情况不同而会有一些差异）。

去过青藏高原的人，许多人都有高原反应（又称高山症），就是因为青藏高原的海拔高、空气稀薄、含氧量低。高原反应程度因人而异，越是年轻力壮的人，氧气消耗量也越多，高原反应（喘不上气、头痛、胸闷、无力）也就越厉害，严重时还会出现并发症，甚至危及生命。

毋庸置疑，藏羚羊要能够在青藏高原高速长距离奔跑，必须能够从稀薄的空气中获取足够的氧气，而这一定与藏羚羊的身体具有某些特殊结构及其相应功能密不可分，人们已知的情况是，藏羚羊的每个鼻孔内还有 1 个小囊，据说它的作用就是为了帮助藏羚羊在空气稀薄的高原上增加对氧气的吸收量。但是，藏羚羊鼻孔里的小气囊实在是有些太小了，其对吸收氧气的贡献是非常有限的。因此，藏羚羊身上一定还有着·人们尚不清楚的能够大量吸收氧气的"秘密武器"。

最近的科学研究发现，藏羚羊之所以能在高海拔地区奔走如飞，乃是因为它们身上都藏着 4 个特殊的"气囊"器官结构。科研人员在对藏羚羊身体结构全面研究过程中惊奇地发现，它除前体两侧的皮下藏有两个气囊外，臀部两侧还有两个较大的气囊。藏羚羊四肢上的气囊乃是氧气储存交换器，类似于肺的功能，因此这些氧气囊能够给奔跑过程中的藏羚羊四肢提供额外的氧气供应，这才是藏羚羊能够在青藏高原长距离快速奔跑的"秘密武器"。据此可知，《山海经》记载的"其状如麋，其川在尾上"的奇异动物羆，非常类似四肢上有气囊窍口的藏羚羊。

接下来的问题是，藏羚羊的"氧气囊"是如何形成的呢？通常的解释为藏羚羊四肢上的气囊是经过"无数次、微小的、随机的变异"在"自然选择"的作用下才能够形成的。问题是，自然选择只能够对有利的或有害的变异发生作用，对于正在形成；过程中的藏羚羊四肢上的气囊来说，它们对藏羚羊不但没有好处，而且还有坏处（浪费宝贵的资源、窍口容易引起感染等），如果真的是"随机微变＋自然选择"，那么这种四肢上的气囊结构在形成过程中早就应该被淘汰掉了。

对比之下，一种全新的解释是，所有的生物都拥有生命智力，生命智力能够使用间接信息达成期望效应，生物进化的实质是生命自主生存技术的不断创新，藏羚羊的氧气囊就是由其生命智力系统设计制造出来的。具体来说，藏羚羊的生命智力系统为了能够在高海拔地区生存，必须解决快速长距离奔跑时的氧气供应问题。为此，它除了增加肺活量、提高血液输氧量、增加鼻孔小气囊之外，还在四肢上设计制造了局部供氧器官结构"氧气囊"。这些氧气囊主要由窍口、囊室、氧气富集结构、氧气渗透四肢肌肉结构等设施构成，其最大的好处是能够直接向四肢肌肉提供额外的氧气供应。也就是说，藏羚羊四肢气囊的形成原理是"生命智力设计制造＋自然选择"，正如我们人类的大脑思维生命智力系统设计制造的楼房、汽车也要接受环境的考验一样。

朱厌是不是侦察兵

《西山经》西次二经："又西四百里，曰小次之山，其上多白玉，其下多赤铜。有兽焉，其状如猿，而白首赤足，名曰朱厌，见则有兵。"

通常人们都相信朱厌是自然界存在的一种猿类，研究动物的学者根据"白首赤足"推断它是白眉长臂猿。问题是，为什么朱厌的出现就表明有敌情或战争呢？

我们知道，许多群居动物，包括鸟类、鼠类、猿猴类，其成员都要轮流担任放哨和侦察的责任，以保障群体在觅食、栖息时的安全。在远古时期，人烟稀少，各个部落都有自己的栖息地，每个部落为了本部落成员的安全，也要派人担任警戒和侦察工作，这样的工作逐渐会由专人来承担。特别是当相邻部落存在利益冲突时，更要派出侦察兵去窥视对方的一举一动，以便在敌对方出兵来犯时尽可能提前报警。

为了方便进行侦察活动，侦察兵当然不能穿本部落的服装，而是要装扮成不被敌对方怀疑的样子。在这种情况下，侦察兵或哨兵模仿当地猿类的形象悄悄地躲在树上，应该是一种比较好的办法。从这个角度来说，《西山经》描述的朱厌很可能就是居住在小次之山部落的侦察兵。根据《山海经》的记载，许多部落都有自己的侦察兵，不同部落侦察兵的装扮也各不相同。

毕方鸟是否是火警标志

《西山经》西次三经："又西二百八十里，曰章莪之山，无草木，多瑶碧。所为甚怪，有兽焉，其状如赤豹，五尾一角，其音如击石，其名曰狰。有鸟焉，其状如鹤，一足，赤文青质而白喙，名曰毕方，其鸣自叫也，见则其邑有讹火。"

根据上述记载，章莪山有两种奇怪的动物，一是样子像赤豹的狰，它有5条尾巴一只角，发出的叫声像是敲击石头。另一是样子像鹤的毕方，它的喙是白色的，黑色的羽毛上面有红色的花纹，发出"毕方"的叫声，它的出现表明当地有异常的火情。

众所周知，自然界里样子像赤豹的真实存在的动物是不可能有5条尾巴的。因此《西山经》描述的怪兽"狰"，有可能是巫师装扮成的，或者是当地人供奉的神灵；由"其音如击石"来看，它的职责或功能应该是掌管打火石。在远古时期，使用打火石是一件非常重要的事情，掌管打火石也是一项非常重要的职责，因此要设有专职的巫师和供奉相应的神灵。

同理，样子像鹤的毕方也不是自然界真实存在的鸟类，而是由巫师装扮成的，或者是当地人供奉的神灵；由"其鸣自叫也，见则其邑有讹火"来看，它的职责或功能应该是报警发生了不正常火情，具有预防火灾、及时救火的功能。当出现火情时，装扮成毕方鸟的巫师或者举着毕方鸟标志的消防队员，就会发出模拟火烧竹木的"噼啪"声，警告人们赶快出来避祸和参与灭火。

《海外南经》记有："毕方鸟在其东，青水西，其为鸟人面一脚。一曰在二八神东。"

《海内西经》记有："青水出西南隅以东，又北又西南过毕方鸟东"。

《韩非子·十过》称："昔者黄帝合鬼神于泰山之上，驾象车而六蛟龙，毕方并辖，蚩尤居前，风伯进扫，雨师洒道，虎狼在前，鬼神在后，腾蛇伏地，凤凰覆上，大合鬼神，作为清角。"

根据《海外南经》、《海内西经》、《韩非子·十过》的记载，毕方亦是一个部落或一种官职的名称，其职责是协助驾驭黄帝的象车或龙车。所谓黄帝"大合鬼神"，与禹召集天下诸侯聚会的性质类似，都属于先夏时期民族整合与融合过程中的重大事件。

进一步说，"狰"和"毕方鸟"的前身，可以追溯到炎帝和燧人氏。《太平御览》卷78引《礼含文嘉》云："燧人始钻木取火，炮生为熟，令人无腹疾，有异于禽兽，遂天之意，故为燧人。"《礼含文嘉》的作者不知何人，但是他认为人与禽兽的区别在于"钻木取火，炮生为熟"，却是一种非常有洞察力的理论见识：人与兽相揖别在；于火的使用。所谓燧人氏得名

于"遂天之意"是一种很有趣的说法，其实质在于"燧"是一种取火工具，既包括《淮南子·本经训》的"钻燧取火"，也包括打火石（20世纪60年代中国农村仍在使用）。

有趣的是，我国民间的灶神（灶王爷），其最早的原型正是炎帝。《淮南子·氾论训》："炎帝作火，死而为灶。"高诱注谓："炎帝，神农，以火德王天下，死托祀于灶神。"此外，还有黄；有为灶神，祝融（名犁，颛顼之子）为灶神等多种说法。古人使用火，需要解决许多技术难题，除了保存火种、钻木取火、制造配套器物之外，还需要解决一个至关重要的大问题，那就是如何避免一氧化碳中毒，否则就会"玩火者必自焚"。种种迹象表明，正是我们中国人的祖先最早解决了这个关键技术问题。事实上，从50万年前的北京人，到18000年前的山顶洞人，再到一万年前北京门头沟的东胡林人，都是以用火著称的，炎帝之名的含义就是指用火的部落。"炎"字两个"火"上下重叠，意思是指烟火向上走，即《说文》"炎，火光上也，从重火"；而"炎"又与"烟"同音，表明炎帝部落解决了使用火的最大难点，即通风排烟问题，并由此而避免了一氧化碳中毒。或许，炎帝原本亦可名叫"烟帝"（烟火的烟，不是烟草的烟）。从这个角度来说，民间敬重灶王爷炎帝，是在感激他解决了使用火的过程中如何排除烟尘、避免煤气中毒的技术难题（设置烟道、烟囱，以及通风换气等）。

黄帝的鹑鸟、西王母的三青鸟、"使四鸟"都是什么鸟

（一）黄帝的鹑鸟是宫廷服务员吗？

《西山经》西次三经："西南四百里，曰昆仑之丘，是实惟帝之下都……有兽焉，其状如羊而四角，名曰土蝼，是食人。有鸟焉，其状如蜂，大如鸳鸯，名曰钦原，蠚鸟兽则死，蠚木则枯。有鸟焉，其名曰鹑鸟，是司帝之百服。"

鹑鸟即凤凰，《埤雅》引师旷《禽经》称："赤凤谓之鹑。""百服"指百种器物。问题是，黄帝都城里的鹑鸟如何管理黄帝宫廷（包括后宫）的各种器物呢？值得注意的是，中国先夏时期有用不同的鸟来命名官职的习俗，其中最有代表性的是少昊族用百鸟命名百官；遥想当年少昊族各个官员都佩戴着相应鸟的羽毛，那个场景足以令我们今天的人感到震撼。孔子的老家曲阜有少昊陵，《左传·昭公十七年》记有当年少昊的后裔郯子来到曲阜，孔子特意向其请教少昊族的历史渊源，郯子告诉孔子："我高祖少皞挚之立也，凤鸟适至，故纪于鸟，为鸟师而鸟名。"由此推知，黄帝都城里的鹑鸟实际上是负责管理

黄帝宫廷器物、提供后勤服务的官员。

关于黄帝都城昆仑里的怪兽土蝼，有人说它是猞猁，其实此处食人的土蝼有可能是黄帝都城昆仑的司法官，其装束源于神羊獬豸断案的习俗；相传獬豸似羊非羊，似鹿非鹿，头上长着一只角，俗称独角兽。怪鸟钦原看样子像是体型硕大的野蜂，或谓蜂鸟，或谓针尾鸭，其实它有可能是黄帝都城的执法官。

（二）西王母的三青鸟是驯鹰吗？

在中国汉代绘画作品里，西王母身边有两种瑞兽，一是九尾狐，二是三青鸟。其中，九尾狐象征着多子多孙、家族兴旺，三青鸟寓意衣食无忧。《山海经》里也多处记载有九尾狐、三青鸟，不过《山海经》记述的九尾狐并没有与西王母联系在一起，而《山海经》记述的三青鸟则明确称其"为西王母取食"，事见《海内北经》："西王母梯几而戴胜（杖），其南有三青鸟，为西王母取食。在昆仑虚北。"所谓"梯几而戴胜"意思是西王母坐在梳妆台前佩戴饰品。

根据《西山经》西次三经的记载，西王母居住在玉山"又西三百五十里，曰玉山，是西王母所居也。西王母其状如人，豹尾虎齿而善啸，蓬发戴胜，是司天之厉及五残"，而三青鸟栖息在三危山"又西二百里，曰三危之山，三青鸟居之，是山也广员百里"，两者并不在一起，那么三青鸟为什么要"为西王母取食"呢？

关于三青鸟的形貌，有人认为是一种名叫"三青"的鸟，也有人认为是三种不同的"青鸟"。根据《大荒西经》"有三青鸟，赤首黑目，一名曰大鵟，一名曰少鵟，一名曰青鸟"的记述，三青鸟应该是指三种不同的鸟，但是它们为什么都要"为西王母取食"呢？

对此，一种解释是，《五藏山经》记述动物时都用"有鸟（兽）焉"，此处称为"居之"，表明三青鸟是部落或氏族的名称，而且属于西王母部落联盟的成员，其主职就是为西王母提供食物。另一种解释是，三青鸟是西王母驯化的三种猎鹰，它们都能够帮助西王母捕猎野兔、黄羊等猎物。

（三）"使四鸟"是在役使奴隶吗？

《大荒四经》里多处记载古代部落（包括古国、方国）有"使四鸟：虎、豹、熊、罴"的现象或习俗。例如，仅《大荒东经》就记有6个部落的人"使四鸟"：

有葛国，黍食，使四鸟：虎、豹、熊、罴。

有中容之国。帝俊生中容，中容人食兽、木实，使四鸟：豹、虎、熊、罴。

有司幽之国。帝俊生晏龙，晏龙生司幽。司幽生思士，不妻；思女，不夫。食黍，食兽，是使四鸟。有大阿之山者。

有白民之国。帝俊生帝鸿，帝鸿生白民。白民销姓，黍食，使四鸟：虎、豹、熊、罴。

有黑齿之国。帝俊生黑齿，姜姓，黍食，使四鸟。

有招摇山，融水出焉。有国名玄股，黍食，使四鸟。

那么，我们今天该如何解读"使四鸟：豹、虎、熊、罴"的现象或行为呢？虎、豹、熊、罴都是凶猛的动物，古人又如

何能够役使它们呢？难道他们都是马戏团的驯兽大师不成？对此，袁珂认为"使四鸟"源自《尚书·舜典》所记益与朱（豹）、虎、熊、罴争神而胜的神话故事，而益即舜，舜即帝俊，亦即殷墟卜辞所称"高祖俊"，其原貌则为燕，乃《诗·玄鸟》"天命玄鸟，降而生商"之玄鸟，因此帝俊后裔均有役使四鸟之能力。

或许，所谓"使四鸟"是指役使奴隶或者猎人、战士，并用动物名对其命名；也可能是设立四名官员，并用虎豹熊罴分别命名其官职；或者"四鸟"是指分别以虎、豹、熊、罴为图腾的 4 个部落。比较之下，"使四鸟"更可能是指役使奴隶。这是因为，《大荒四经》是商代的文献，而商代是典型的奴隶制社会，当时的许多部落（包括古国、方国）都在役使奴隶从事各种苦役，其中也不排除驱使奴隶彼此之间进行角斗，这些角斗士根据其特点被划分为虎、豹、熊、罴等级别。

一首十身的何罗鱼
是否是头足类动物

《北山经》北次一经："又北四百里，曰谯明之山。谯水出焉，西流注于河。其中多何罗之鱼，一首而十身，其音如吠犬，食之已痈。有兽焉，其状如貆而赤豪，其音如榴榴，名曰孟槐，可以御凶。是山也，无草木，多青雄黄。"

关于"一首而十身"的何罗鱼，有人说它是胡子鲶，有人说它是头足类动物的章鱼或乌贼，还有人说它是蝾螈。胡子鲶俗称塘虱、土虱，体长约20厘米，灰褐色，有须四对，还有延长的背鳍、臀鳍，以及胸鳍、尾鳍，无鳞，栖息在我国长江以南的淡水中，肉质细嫩，为南方食用鱼类。头足类动物属海洋动物，典型的头足类动物有鱿鱼、章鱼、船蛸、鹦鹉螺、墨鱼。它们的嘴长在身体下侧的平面上，有多条可伸缩的强健触须，眼睛发育较好。现存的头足类动物主要有4类，即鹦鹉螺目、十足目、幽灵蛸目、八腕目，共计400多种软体动物，它们广泛分布于全球海洋里，从浅海至三四千米的深海，以及海底，无论是寒带、热带和温带的海洋，都能见到它们的踪影。

　　鹦鹉螺通常在百米左右的浅海水底爬行，它是现存头足类中最古老的一种，至今仍保持其远古祖先的面貌，因此被称作"活化石"。章鱼通常在水底洞窟、岩隙或石块中潜居，能够利用生在头部的八条触脚将虾、蟹等猎物紧紧包裹住，然后食之。乌贼、柔鱼能利用腹部的漏斗状器官以喷水方式获得的反冲力而快速游动，以追捕食物或者逃避敌害。

　　乌贼有八条腕和两条触手，属于十足目，又称十足类，完全符合何罗鱼"一首而十身"的特征。生活在深海中的大王乌贼，长 18 米，重达 30 吨。而能够在海底发光的荧乌贼，长度仅有 5 厘米。最小的乌贼是微鳍乌贼，体长只有 1.5 厘米长，体重只有 0.1 克，与一粒小花生米差不多。船蛸的形状奇特，雌、雄个体的差别很大；雄性个体非常小，小到附着在雌性身体上，以致会使人们误认为它是雌体身上的一条寄生虫。

　　根据"谯水出焉，西流注于河"的记述，可知谯水发源于今日山西省境内的吕梁山，是典型的北方陆地淡水河流，这里既不适合南方的胡子鲶生存，也不适合海洋头足类动物生存。在这种情况下，《山海经》所说的"一首而十身"的何罗鱼，可能是海洋头足类动物乌贼在中国北方淡水河的残留物种，已经适应了在淡水中生活；也可能是一种能够适应北方气候的多须鲶鱼（野生鲶鱼有多达 12 条须，而家养鲶鱼常为 8 条须）。对比之下，根据何罗鱼"其音如吠犬"的特征来看，后者的可能性更大一些，因为鲶鱼能够发出叫声，而头足类动物（乌贼、章鱼）似乎只有听觉却不会发出叫声。

　　蝾螈，又称水蜥，属于两栖类动物（与鲵类接近），有四肢和长尾，体长从 10 厘米左右到 150 厘米（大蝾螈或大鲵）之间，栖息在北半球的清冷缓流水体环境里，或者湿地草丛中。有一种蝾螈，它们的头部与身体之间长着成组的鳍，数量有 6～10 个，或许就是《山海经》所说的"一首而十身"的何罗鱼。

孔子对一足夔的解释是否正确

中国春秋时期的大教育家孔子，同时也已博学著称于世，人们遇到不明白的事情，总要向孔子请教。《韩非子·外储说左下第三十三·说二》就记有这样一段对话，鲁哀公问于孔子曰："吾闻古者有夔一足，其果信有一足乎？"孔子对曰："不也，夔非一足也。夔者忿戾恶心，人多不说喜也。虽然，其所以得免于人害者，以其信也。人皆曰独此一足矣。夔非一足也，一而足也。"哀公曰："审而是固足矣。"一曰，哀公问于孔子曰："吾闻夔一足，信乎？"曰："夔，人也，何故一足？彼其无他异，而独通于声。尧曰：'夔一而足矣。'使为乐正。故君子曰：'夔有一足'，非一足也。"

夔在中国先夏时期有两种身份，一指动物夔，二指乐官夔。动物夔的主要特征是"一足"，即只有一足脚；乐官夔的职责是用动物皮（夔皮、鳄鱼皮、牛皮）制作鼓，以指挥乐队演奏、演员歌舞。春秋战国时期的古人，由于分不清动物夔和乐官夔，也不明白动物夔为什么只有"一足"，因此才会感到疑惑。孔子的回答表明，他也没有分清楚动物夔和乐官夔，因此只能勉强把动物夔的"一足"解释为"有一个夔就足够了"。

关于动物夔的记载见于《大荒东经》："东海中有流波山，入海七千里。其上有兽，状如牛，苍身而无角，一足，出入水则必风雨，其光如日月，其声如雷，其名曰夔。黄帝得之，以其皮为鼓，橛以雷兽之骨，声闻五百里，以威天下。"

流波山之名很像是一座漂浮在海上的特大冰山，古代北冰洋的冰山有可能穿过白令海峡，漂移至我国东海或太平洋西部；在这些漂浮的冰山上，经常会有海象、海狮、海豹、海狗、海牛等海洋哺乳动物栖息，并成为人类（可能还有北极熊）猎捕的对象。事实上，乘冰山飘游世界也是人类远距离越洋迁徙的重要途径之一，因为大冰山上既有食物也有淡水；尽管这种迁徙方式不可能留下"冰船"的痕迹，但是《列子》归墟五仙山的传说很可能与此现象有关。据此可知，苍身、无角、一足、状如牛之夔，乃是生活在冰山上的海牛或者其他类似牛的海洋哺乳动物，其四足退化而尾部发达，远看即"一足"。至于夔"出入必风雨，其光如日月"者，则可能与模拟捕捉夔的巫术仪式有关。雷兽之骨据郭璞注谓："雷兽即雷神也，人面龙身，鼓其腹者。橛犹击也。"

袁珂认为："流波山一足夔神话亦黄帝与蚩尤战争神话之一节，《绎史》卷五引《黄帝内传》云：'黄帝伐蚩尤，玄女为黄帝制夔牛鼓八十面，一震五百里，连震三千八百里。'吴任臣《山海经广注》（《大荒北经》）引《广成子传》云：'蚩尤铜头啖石，飞空走险，以馗牛皮为鼓，九击止之，尤不能飞走，遂杀之。'即其事也。"

玄女又称九天玄女，相传她传授给黄帝兵法，《太平御览》

引《黄帝玄女战法》云："黄帝与蚩尤九战九不胜，黄帝归于太山，三日三夜雾冥。有一妇人，人首鸟形，黄帝稽首再拜伏不敢起。妇人曰：'吾玄女也，子欲何为?'黄帝曰：'小子欲万战万胜。'遂得战法焉。"

鼓在古代战争中有着重大价值，一是鼓舞士气，二是传递指挥命令，已失传的古兵书《军政》称："言不相闻，故为金鼓；视不相见，故为旌旗。"根据考古发掘，我国古代的鼓主要有蒙皮木鼓、陶鼓、铜鼓等，山西襄汾陶寺出土的四千年前木鼓，系用树干截断挖制而成，高约一米，鼓腔内有鳄鱼骨片，表明两端所蒙的是鳄鱼皮（已朽），鼓面直径约 50 厘米，鼓身外表涂有白、黄、黑、宝石蓝等彩色回形纹、宽带纹、云雷纹等几何图样，相当华丽。

巴蛇食象是否真的发生过

《海内南经》记有："巴蛇食象，三岁而出其骨，君子服之，无心腹之疾。其为蛇青黄赤黑。一曰黑蛇青首，在犀牛西。"

《海内经》记有："又有朱卷之国。有黑蛇，青首，食象。"

郭璞注："今南方蚹蛇吞鹿，鹿已烂，自绞于树腹中，骨皆穿鳞甲间出，此其类也。《楚辞》曰：'有蛇吞象，厥大如何？'说者云长千寻。"

巴蛇又称黑蛇，"巴蛇"是以产地为名，"黑蛇"是以颜色为名。但是，根据"其为蛇青黄赤黑"的描述，巴蛇的皮肤颜色似乎是五彩斑斓的，或者与变色龙类似，也能够自主改变其皮肤颜色。

所谓巴蛇食象的传闻，通常都理解为这种大蛇能够吃下成年的大象，问题是自然界真的曾经有过这么大的巴蛇吗？据报道，在印度尼西亚苏门答腊岛的一个原始森林中曾捕获到一条长 14.85 米，重 447 千克的巨蟒，它被认为是迄今为止世界上最大的蟒蛇，大口一张可轻松地吞下整整一个人。南美洲的亚马逊森蚺也是当今世界上最大的蛇类之一，体长可达 10 米以上，重可达 250 千克以上，躯干粗如成年男子，通常栖息在泥岸或者浅水中，捕食水鸟、龟、水豚、貘等，甚至吞吃下 2.5 米长的凯门鳄。对比之下，目前地球上的大象主要有亚洲象和非洲象，肩高 3 米左右，体长 5—7 米，体重 5 吨左右，象牙长达 2 米左右，非洲象的体型比亚洲象大。显然，目前地球上最大的蛇，是不可能吞食下成年大象的。

有鉴于此，关于巴蛇食象传闻的一种解释是，由于巴人以"巴"为名，而"巴"有大蛇之意，因此巴蛇食象的故事，也可能记录有巴人驯服大象的内容。在《五藏山经》中次九经对大巴山地区的描述里，当时的大象属于常见动物。当人类进入农业社会以后面临的一个重要问题，就是保护农作物不受野生动物的践踏。在各种动物里，大象是一种食量非常大的食草类动物，而且当时人们缺少对付大象的手段和武器，在这种情况下大象对农田的破坏就成为一个必须解决的问题。或许，正是为了驱赶和制服大象，巴人才驯养了巴蛇，并利用巴蛇去攻击大象，从而给后人留下了巴蛇食象的故事。

此外，还有一种解释认为这种能够吞食象的巨蛇，很接近于身躯庞大的食肉类恐龙，因此《山海经》记载的巴蛇有可能是某种食肉类恐龙的幸存者。众所周知，恐龙在 6500 万年前大规模死亡，但是这并不意味着所有的恐龙都全部灭绝，因为同时期的鳄鱼、乌龟、鸟类、哺乳类都存活下来，因此应该也有数量不算少的某些种类的恐龙幸存下来。有趣的是，《山海经》记载的若干奇异动物，就有可能是那个时代仍然幸存的恐龙。

《海外北经》：钟山之神，名曰烛阴，视为昼，瞑为夜，吹为冬，呼为夏，不饮，不食，不息，息为风，身长千里。在无启之东。其为物，人面，蛇身，赤色，居钟山下。

《大荒北经》：西北海之外，赤水之北，有章尾山。有神，人面蛇身而赤，直目正乘，其瞑乃晦，其视乃明，不食不寝不息，风雨是谒。是烛九阴，是谓烛龙。

关于烛龙的神话传说，或可表明当时人们知道自然界有一些身躯特别庞大的动物，它们很可能就是我们今天所说的恐龙。进一步说，烛龙这种恐龙，具有一种特殊的本领，这就是从口中能够喷出火来，可用于威慑其他动物。动物喷火乍看似天方夜谭，其实这种生存技术也并不是不可能实现：只要胃里有甲烷气体、口部有电火花装置即可。而这两项技术早已有其他动物掌握了，例如牛的胃里就有甲烷，电鳗就能够发出高压电击。据此可知，烛龙应该是一种食草类恐龙。

《大荒东经》：大荒东北隅中，有山名曰凶犁土丘。应龙处南极，杀蚩尤与夸父，不得复上。故下数旱，旱而为应龙之状，乃得大雨。

《大荒北经》：有人衣青衣，名曰黄帝女魃。蚩尤作兵伐黄帝，黄帝乃令应龙攻之冀州之野。应龙畜水，蚩尤请风伯、雨师，纵大风雨。黄帝乃下灭女曰魃，雨止，遂杀蚩尤。魃不得复上，所居不雨。叔均言之帝，后置之赤水之北。叔均乃为田祖。魃时亡之，所欲逐之者，令曰："神北行！"先除水道，决通沟渎。

这里的应龙实际上是以应龙为图腾的部落。应龙的形貌是有翼的龙，非常类似恐龙大家族里的翼龙。

《西山经》西次一经：又西六十里，曰太华之山，削成而四方，其高五千仞，其广十里，鸟兽莫居。有蛇焉，名曰肥𧔥，六足四翼，见则天下大旱。

西次一经是《西山经》记载的第一条山脉即今日的秦岭，太华山即位于今日的华山山脉，这里的六足四翼的怪蛇肥遗，它也可能是幸存的活恐龙。

有必要指出的是，目前流行的动物分类学"恐龙"一词并不很科学，因为它涵盖的动物种类太多，而且没有把恐龙（热血动物）与其他大型爬行动物（冷血动物）区分开来，因此应当重新将其命名为"热龙"。事实上，恐龙之所以能够从爬行动物世界脱颖而出，正是因为恐龙掌握了新的生存技术，从冷血动物进化成为热血动物"热龙"。我们知道现存的最原始的哺乳动物鸭嘴兽的体温在25—35摄氏度之间变化，据此可以推测，当年"热龙"的体温也约在25—35摄氏度之间；而从"热龙"进化出的哺乳类动物的体温约在35—40摄氏度之间，从"热龙"进化出的鸟类的体温约在40—5摄氏度之间。进一步说，正是由于体温的不同，爬行类、热龙类、哺乳类、鸟类的生存方式又产生了一系列的差异。例如，爬行类是冷血动物，因此它们的受精卵只能是自行孵化的（有一种眼镜蛇，雌蛇产卵后，会用草和树叶把卵覆盖）。热龙类由于刚刚掌握热血升温技术，还没有进一步掌握抱窝孵卵技术，因此只能够采取其他方法提高受精卵的孵化温度（可能是利用草和树叶发酵产生的热量）。鸟类则掌握了抱窝孵卵技术，哺乳类则在体内完成"孵化"（胎儿）。有趣的是，栖息在东南亚及澳大利亚的营冢鸟就不自己抱窝孵卵，而是用腐败枝叶和垃圾尘土堆成冢状，然后在冢顶掘穴把受精卵产在腐败物之中，利用腐败物发酵产生的热量孵化受精卵，雏鸟出壳即羽翼丰满，能够飞行。据此可知，根据体温和孵卵方式能够把活恐龙亦即热龙与普通爬行动物区别开来，这也是我们今天鉴别幸存的恐龙与爬行动物的主要依据之一。

M21 "零口姑娘"的悲剧与雌雄同体怪兽

1994 年，西安市至潼关县的高速公路施工中，在临潼区零口村地界处，工人发现若干古代遗迹。闻讯后，陕西省考古所迅速派出考古队，对现场遗迹进行抢救性发掘。在编号 M21 尸骨上，共清理出骨叉 8 件、骨镞 2 件、骨笄 8 件，所有的凶器全部为动物骨骼磨制而成，并多次使用。这些凶器有很多都深深地插在 M21 的骨骼里，有的甚至已经将脊椎骨贯穿，在尸骨上留下的明显创伤有 35 处，其创伤位置表明 M21 当时受到来自多方向的多人群体杀戮。经过 C_{14} 分析和孢粉检测，确定 M21 的死亡时间约在公元前 5300 年前；其身高 160 厘米，眉骨似女性，耻骨似男性，DNA 检测是女性；年龄大约在 14 到 18 岁之间，比较可能是 16 岁的花季年龄。由于是在西安临潼区零口村被发现的，专家们就叫她"零口姑娘"。考古界对"零口姑娘"死因的推测有宗教祭祀、战争的俘虏、违背婚姻等方面的族规、情杀或仇杀、割体葬仪等，但是没有一个解释具有充分的说服力。其实，M21 很可能是一个双性人，并因此而遭到族人的虐杀（这可能是人类社会最早的因性畸形而被杀害的案例），主要理由是：

首先，M21 的"眉骨似女性，耻骨似男性，DNA 检测是女性"，具有双性人特征；尤其是"耻骨似男性"，这表明其外在性特征出现明显的男性化。

其次，有 4 件凶器是从受害人的会阴处插进去的，这表明施害者的目的是指向受害人的性器官。

第三，在七千年前的母系社会里，妇女特别是少女有着优越的社会地位，而且享受着充分的性自由；因此，正常情况下没有任何理由会对少女施加如此残暴的杀戮。

第四，M21 被安葬在家族或氏族居住区的未成年人墓地里，有着独立的墓坑，仰身直葬，尸骨完整，仅失去一只左手；这表明她不可能是被外族人杀害的，而是被自己的族人（包括女性族人使用骨笄）杀害的。与此同时，族人虽然残忍地杀害了她，但是仍然尊重其在族群里的社会地位，给她提供了独立的墓坑。

上述种种相互矛盾的现象，唯一合理的解释就是，M21 在进入性成熟阶段，出现了越来越明显的男性化趋势，这使族人非常困惑，并最终决定集体将其处死，以免可怕的变性情况像瘟疫一样传染开来。在处死 M21 之后，族人把她的尸体完整地安葬在未成年人墓地里；只是取走了她的一只左手，扔到荒野，目的是防止她复活。

事实上，在远古时代，导致青少年变性的因素之一是食用动物的性器官，特别是食用发情期动物的性器官，这会使大量性激素进入人体。当外来雄激素被少女吸收后，她就有可能出

现男性化；当外来雌激素被少男吸收后，他就有可能出现女性化。据此可知，类似 M21 遭遇的事件在远古曾经不止一次发生过，但是只有极少数当事人的尸骨能够被保存下来。这就意味着，在人类文明初期，特别是在开始从素食为主转变到以肉食为主的时候，人类曾经受到过变性问题的严重困扰。

值得注意的是，《山海经》记载了若干雌雄同体、左右有首或前后有首的动物，它们究竟是什么样的怪兽？这些怪兽与人类的性畸形有什么关系？这是我们今天需要进一步探讨的问题。

《南山经》南次一经："又东四百里，曰亶爰之山，多水、无草木，不可以上。有兽焉，其状如狸而有髦，其名曰类，自为牝牡，食者不妒。"这里的动物类，或谓即灵狸、灵猫、大灵猫；袁珂《山海经校注》引杨慎云："今云南蒙化府有此兽，土人谓之香髦，具两体。"所谓"自为牝牡"是说类这种动物同时长着雌性和雄性生殖器，可以自行交配。所谓"食者不妒"是说人吃了类的肉，就能够克制"性嫉妒"的毛病。

《北山经》北次三经："又东三百里，曰阳山，其上多玉，其下多金铜。有兽焉，其状如牛而赤尾，其颈臀，其状如句瞿，其名曰领胡，其鸣自詨，食之已狂。有鸟焉，其状如雌雉，而五采以文，是自为牝牡，名曰象蛇，其鸣自詨。留水出焉，而南流注于河。其中有鲐父之鱼，其状如鲋鱼，鱼首而彘身，食之已呕。"

《海外西经》："并封在巫咸东，其状如彘，前后皆有首，黑。"《大荒西经》："有兽，左右有首，名曰屏蓬。"并封又写作屏蓬，"前后皆有首"与"左右有首"说的都是一回事，只是描述的角度不同。并封的样子像前后有首的黑猪，它可能是巫师施展巫术时用的一种特殊法器。北美洲土著萨满雕刻有一种左右双头动物，用于把病人的灵魂招回来再吹送入病人体内。此外也可能与古人的生殖崇拜活动有关，闻一多认为并封"乃兽牝牡相合之象也"。

《大荒南经》："南海之外，赤水之西，流沙之东，有兽，左右有首，名曰跊踢。有三青兽相并，名曰双双。"跊踢类似并封，又写作述荡。《吕氏春秋·本味篇》称："伊尹曰：'肉之美者，述荡之踤。'"三青兽相并，因此得名双双。郭璞注："言体合为一也。《公羊传》所云'双双而俱至者'，盖谓此也。"郝懿行注："郭引宣五年传文也。杨士勋疏引旧说云：'双双之鸟，一身二首，尾有雌雄，随便而偶；常不离散，故以喻焉。'是以双双为鸟名，与郭异也。"

上述"自为牝牡"、"左右有首"、"尾有雌雄"、"相并"、"双双"既可指动物（哺乳类、鸟类）牝牡相合之象，也可指动物雌雄同体亦即性畸形现象。对比之下，牝牡相合是自然界的常见现象，似乎不值得特别记述。造成哺乳动物性畸形的原因，除了基因变异之外，通常还与食物中的性激素有关。特别是对于食肉动物来说，它们往往会把猎物的性器官一起吃下；如果雄性食肉动物吃下雌性猎物的性器官，或者雌性食肉动物吃下雄性猎物的性器官，就有可能改变食肉动物的性行为，甚至造成某种程度的性器官畸形。由于类似的情况也会发生在古代人类身上（现代屠宰业均要摘除家畜的性器官、淋巴等），因此古人才会特别关注动物（包括人类自身）的性器官和性行为异常现象。

令人欣慰的是，随着人类生命智力对生存意义的不断反思，七千年前 M21 "零口姑娘"的悲剧已经被翻过去了。从《山海经》的有关记载来看，到了山海经时代（包括帝禹时代、夏代、商代、周代），我们的祖先对性器官和性行为异常现象（例如双性一体）已经有了一定的认识，并能够比较宽容地对待性器官和性行为异常现象，而且转而更关注"性嫉妒"问题。可以佐证的是，1974 年青海省乐都县柳湾出土的一件先夏时期陶器（高 33.4 厘米，壶形储酒器）塑有双性一体人像，人像为站姿，头位于壶的颈部，五官齐全，躯干和四肢位于壶的腹部，双手放置肚前，乳头系用黑彩点绘，人像下腹夸张地塑造出男女两性生殖器，壶的背面颈部绘有长发，长发下绘有一只大青蛙，明显是一个男女双性一体的两性人。学者认为该器物塑像是一种男女同体的崇拜物，在萨满教信仰中两性人往往是天和地的中介，他们具备沟通天地人神的能力。青蛙（蟾蜍）是古人崇拜的神奇动物之一，汉族流传有蛤蟆泉的民间故事（月宫蟾蜍私自下凡），土家族有青蛙吞太阳传说，黎族有蛤蟆黎王传说，土族有金蛤蟆传说，羌族有癞蛤蟆皮传说，上述出土陶器两性人背部长发下的蛙图案可能是寓意萨满作法时有蛙神附体。

视肉是什么肉

　　《山海经》里有十几处都提到一种神奇的生物"视肉"，例如《海外南经》记有："狄山，帝尧葬于阳，帝喾葬于阴。爰有熊、罴、文虎、蜼、豹、离朱、视肉、玗琪、文王，皆葬其所。一曰汤山。一曰爰有熊、罴、文虎、蜼、豹、离朱、鸱久、视肉、虖交。其范林方三百里。"

　　视肉，郭璞注谓："聚肉，形如牛肝，有两目也；食之无尽，寻复生如故。"他在《图赞》里又称："聚肉有眼，而无肠胃；与彼马勃，颇相仿佛；奇在不尽，食人薄味。"

　　关于视肉究竟是什么东西，通常有两种解释。其一，视肉指某种特殊品种的牛或羊，割取它们的一些肉，它们能够很快地重新长出来。其二，视肉又称聚肉，是一种有着眼睛状图案、没有固定形状、割下一块后能够迅速生长复原的未明生物，通常存在于地下，俗称肉灵芝、肉芝、太岁，民谚有"谁敢在太岁头上动土"。《山海经》记载的视肉，应该是指后者。此外，明代名医李时珍在《本草纲目》中记有："肉芝（芝）状如肉，附于大石，头尾俱有，乃生物也。赤者如珊瑚，白者如截肪，黑者如泽漆，黄者如紫金。"肉芝（芝）亦即视肉，古人也称之为土肉。

近年来我同许多地方都陆续发现有视肉，例如 1992 年 8 月 22 日，陕西周至县农民吴风莲和儿子杜战盟在渭河里打捞出一团东西，长扁形，黄黄的好像牛身上的皮，端起来就像河里的鹅卵石。他们感到奇怪，先是埋在地下，过几天也不腐烂；后来又放在大铁锅里，一个星期后居然长大了，从 20 多公斤长成 35 公斤。再后来，他们大胆地割下一些来，煮着吃了，没什么特殊味道，当时也未出现什么不适。接下来，在食用了"肉团"后的几天时间里，当事人都感到神清气爽、浑身上下有使不完的劲；而且在蚊蝇多的三伏天里，放置这个"肉团"的屋子罩连一个蚊蝇也没有。

据科研部门研究，各地出土的视肉、太岁、肉灵芝尽管外观不同，但是均没有发现细胞结构，因此对它们是否属于生物还存在着争议，而这很可能意味着视肉是一种介于非生命与生命之间的东西。众所周知，长期以来学术界对"生命"的定义始终没有取得一致意见，许多生物学的专著甚至都没有对"生命"进行定义，例如 150 多年前达尔文的《物种起源》，以及近几年新出版的《生命科学导论（2）》（高等教育出版社，2007 年）。在这种情况下，我们可以从生命智力的角度来对"生命"进行定义：生命与生命智力同时起源、同步进化，生命与非生命的分水岭在于生命拥有：生命智力，生命智力的实质是使用间接信息达成期望效应。所有的生命都拥有生命智力，不同的生命拥有不同结构、不同形式和不同层次的生命智力，生物进化的实质是生命智力主导实施的生存方式多样化和生存技术复杂化，以及生命智力系统自身的不断发展。

第二十六卷 《山海经》的祭祀巫术活动和群巫

祭祀活动

　　自招摇之山，以至箕尾之山，凡十山，二千九百五十里。其神状皆鸟身而龙首，其祠之礼：毛用一璋玉瘗，糈用稌米，一璧，稻米、白菅为席。

　　自柜山至于漆吴之山，凡十七山，七千二百里。其神状皆龙身而鸟首。其祠：毛用一璧瘗，糈用稌。

　　白天虞之山以至南禺之山，凡一十四山，六千五百三十里。其神皆龙身而人面。其祠皆一白狗祈，糈用稌。

　　自钱来之山至于騩山，凡十九山，二千九百五十七里。华山冢也，其祠之礼：太牢。羭山神也，祠之用烛，斋百日以百牺，瘗用百瑜，汤其酒百樽，婴以百珪百璧。其余十七山之属，皆毛牷用一羊祠之。烛者百草之未灰，白蓆采等纯之。

　　自钤山至于莱山，凡十七山，四千一百四十里。其十神者，皆人面而马身。其七神皆人面牛身，四足而一臂，操杖以行，是为飞兽之神；其祠之：毛用少牢，白菅为席。其十辈神者，其祠之：毛一雄鸡，钤而不糈，毛采。

　　自阴山以下，至于崦嵫之山，凡十九山，三千六百八十里。其神祠礼，皆用一白鸡祈，糈以稻米，白菅为席。

崇吾之山至于翼望之山，凡二十二山，六千七百四十四里。其神状皆羊身人面。其祠之礼，用一吉玉瘗，糈用稷米。

自单狐之山至于隄山，凡二十五山，五千四百几十里，其神皆人面蛇身。其祠之，毛用一雄鸡瘗，吉玉用一珪，瘗而不糈。其山北人，皆生食不火之物。

自甘枣之山至于鼓镫之山，凡十五山，六千六百七十里。历儿，冢也，其祠礼：毛，太牢之具；县以吉玉。其余十三山者，毛用一羊，县婴用桑封，瘗而不糈。（桑封者，桑主也，方其下而锐其上，而中穿之加金）。

自管涔之山至于敦题之山，凡十七山，五千六百九十里。其神皆蛇身人面。其祠：毛用一雄鸡瘗，用一璧一珪，投而不糈。

自太行之山以至于无逢之山，凡四十六山，万二千三百五十里。其神状皆马身而人面者廿神；其祠之，皆用一藻茞瘗之。其十四神状皆彘身而载玉，其祠之，皆玉，不瘗。其十神状皆彘身而八足蛇尾，其祠之，皆用一璧瘗之。大凡四十四神，皆用稌糈米祠之，此皆不火食。

自楸虿之山至于竹山，凡十二山，三千六百里。其神状皆人身龙首。祠：毛用一犬祈，䘏用鱼。

自空桑之山至于硾山，凡十七山，六千六百四十里。其神状皆兽身人面载觡。其祠：毛用一鸡祈，婴用一璧瘗。

自尸胡之山至于无皋之山，凡九山，六千九百里。其神状皆人身而羊角。其祠：用一牡羊，米用黍。是神也，见则风雨水为败。

　　自煇诸之山至于蔓渠之山，凡九山，一千六百七十里。其神皆人面而鸟身。祠用毛，用一吉玉，投而不糈。

　　自敖岸之山至于和山，凡五山，四百四十里。其祠，泰逢、熏池、武罗皆一牡羊副，婴用吉玉。其二神用一雄鸡瘗之，糈用徐。

　　自鹿蹄之山至于玄扈之山，凡九山，千六百七十里。其神状皆人面兽身。其祠之，毛用一白鸡，祈而不糈，以采衣之。

　　自苟林之山至于阳虚之山，凡十六山，二千九百八十二里。升山，冢也，其祠礼：太牢，婴用吉玉。首山，魅也，其祠用稌，黑牺，太牢之具，蘖酿。干傩，置鼓，婴用一璧。尸水，台天也，肥牲祠之，用一黑犬于上，用一雌鸡于下，刉一牝羊，献血；婴用吉玉，采之，飨之。

　　缟羝山之首，曰平逢之山，南望伊洛，东望谷城之山，无草木，无水，多沙石。有神焉，其状如人而二首，名曰骄虫，是为螫虫，实惟蜂蜜之庐。其祠之：用一雄鸡，禳而勿杀。

　　自平逢之山至于阳华之山，凡十四山，七百九十里。岳在其中，以六月祭之，如诸岳之祠法，则天下安宁。

　　自休与之山至于大騩之山，凡十有九山，千一百八十四里。其十六神者，皆豕身而人面，其祠：毛牷用一羊羞，婴用一藻玉瘗。苦山、少室、太室皆冢也，其祠之：太牢之具，婴以吉玉，其神状皆人面而三首。其余属皆豕身人面也。

　　自景山至琴鼓之山，凡二十三山，二千八百九十里。其神状皆鸟身而人面。其祠：用一雄鸡祈瘗，用一藻圭，糈用稌。骄山，冢也，其祠：用羞酒少牢祈瘗，婴毛一璧。

　　自女几山至于贾超之山，凡十六山，三千五百里。其神状皆马身而龙首。其祠：毛用一雄鸡瘗，糈用稌。文山、勾檷、风雨、騩之山，是皆冢也，其祠之：羞酒，少牢具，婴毛一吉玉。熊山，帝也，其祠：羞酒，太牢具，婴毛一璧；干儛，用兵以禳；祈，璆冕舞。

　　自首山至于丙山，凡九山，二百六十七里。其神状皆龙身而人面，其祠之：毛用一雄鸡瘗，糈用五种之糈。堵山，冢也，其祠之：少牢具，羞酒祠，婴用一璧瘗。騩山，帝也，其祠：羞酒，太牢具，合巫祝二人儛，婴一璧。

　　自翼望之山至于几山，凡四十八山，三千七百三十二里。其神状皆彘身人首。其祠：毛用一雄鸡祈，瘗用一圭，糈用五种之精。禾山，帝也，其祠：太牢之具，羞瘗，倒毛；用一璧，牛无常。堵山、玉山，冢也，皆倒祠，羞毛少牢，婴毛吉玉。

　　自篇遇之山至于荣余之山，凡十五山，二千八百里。其神状皆鸟身而龙首，其祠：毛用一雄鸡、一牝豚刉，糈用稌。凡夫夫之山、即公之山、尧山、阳帝之山皆冢也，其祠：皆肆瘗，祈用酒，毛用少牢，婴毛一吉玉。洞庭、荣余山，神也，其祠：皆肆瘗，祈酒，太牢祠，婴用圭璧十五，五采惠之。

巫术活动与群巫

1. 有巫之名

巫咸国在女丑北，右手操青蛇，左手操赤蛇。在登葆山，群巫所从上下也。

有荣山，荣水出焉。黑水之南，有玄蛇食麈。有巫山者，西有黄鸟，帝药、八斋。黄鸟于巫山，司此玄蛇。

有灵山，巫咸、巫即、巫盼、巫彭、巫姑、巫真、巫礼、巫抵、巫谢、巫罗十巫，从此升降，百药爰在。

开明东有巫彭、巫抵、巫阳、巫履、巫凡、巫相，夹窫窳之尸，皆操不死之药以距之。窫窳者，蛇身人面，贰负臣所杀也。服常树，其上有三头人，伺琅玕树。

2. 未明言之巫

女祭、女戚在其北，居两水间，戚操鱼觛，祭操俎。

女丑之尸，生而十日炙杀之。在丈夫北。以右手鄣其面。十日居上，女丑居山之上。有人衣青，以袂蔽面，名曰女丑之尸。海内有两人，名曰女丑。女丑有大蟹。

雨师妾在其北，其为人黑，两手各操一蛇，左耳有青蛇，右耳有赤蛇。一曰在十日北，为人黑身人面，各操一龟。

有寒荒之国，有二人女祭、女薲。

有互人之国。炎帝之孙，名曰灵恝，灵恝生互人，是能上下于天。

华山、青水之东，有山名曰肇山，有人名曰柏高，柏高上下于此，至于天。

3. 天文历法之巫（神）

西南四百里，曰昆仑之丘，是实惟帝之下都，神陆吾司之；其神状虎身而九尾，人面而虎爪；是神也，司天之九部及帝之囿时。

西水行四百里，曰流沙，二百里至于嬴母之山，神长乘司之，是天之九德也，其神状如人而狗尾。其上多玉，其下多青石而无水。

又西二百里，曰长留之山，其神白帝少昊居之；其兽皆文尾，其鸟皆文首，是多文玉石；实惟员神磈氏之宫，是神也，主司反景。

又西二百九十里，曰泑山，神蓐收居之。其上多婴短之玉，其阳多瑾瑜之玉，其阴多青雄黄。是山也，西望日之所人，其气员，神红光之所司也。

有甘山者，甘水出焉，生甘渊。（东南海之外，甘水之间，有羲和之国。有女子名曰羲和，方日浴于甘渊。羲和者，帝俊之妻，生十日。）

大荒之中，有山名曰鞠陵于天，东极、离瞀，日月所出。名曰折丹，东方曰折，来风曰俊，处东极以出入风。

有女和月母之国。有人名曰鹓，北方曰鹓，来之风曰狻，

是处东北隅，以止日月，使无相间出没，司其短长。

有人名曰石夷（西方曰夷），来风曰韦，处西北隅以司日月之长短。

大荒之中，有山名日月山，天枢也。吴姬天门，日月所入。有神，人面无臂，两足反属于头上，名曰嘘。颛顼生老童，老童生重及黎，帝令重献上天，令黎邛下地，下地是生噎，处于两极，以行日月星辰之行次。

4. 部落首领兼巫职

又西三百五十里，曰玉山，是西王母所居也。西王母其状如人，豹尾虎齿而善啸，蓬发戴胜，是司天之厉及五残。

西海之南，流沙之滨，赤水之后，黑水之前，有大山，名曰昆仑之丘。有神，人面虎身，有文有尾，皆白处之。其下有弱水之渊环之，其外有炎火之山，投物辄然。有人，戴胜，虎齿，有豹尾，穴处，名曰西王母。此山万物尽有。

西王母梯几而戴胜、杖，其南有三青鸟，为西王母取食。在昆仑虚北。

有九丘，以水络之，名曰：陶唐之丘、有叔得之丘、孟盈之丘、昆吾之丘、黑白之丘、赤望之丘、参卫之丘、武夫之丘、神民之丘。有木，青叶紫茎，玄华黄实，名曰建木，百仞无枝，有九欘，下有九枸，其实如麻，其叶如芒，大皞爰过，黄帝所为。

【鉴赏】

《山海经》记述有大量祭祀山神、祖先神的内容，以及形形色色的巫师及其巫术活动，以致鲁迅先生要把《山海经》归纳为巫书。巫字形象是两个人上下于天，又像是两个人持仪器测量天地。事实上，这正是巫师的两大职能：一是为心灵服务，沟通人与天地神鬼的关系；二是为现实服务，其中不乏披着巫术外衣从事科学探索和技术发明的活动。或许，当初的巫字要更象形一些，字体里的两个"人"字符很可能有着具体的形貌；例如一男一女，人面蛇躯，它们应当是创造巫字时的巫师样子，或者是最初的"职业巫师"（有专用名称、以巫术活动为主业）。

《南山经》记有 3 条山脉，其方位大体在今日的湖北、湖南、广东、江西、安徽、江苏、浙江、福建和台湾海峡一带。南山一经地区的居民，供奉鸟身龙首之神，祭祀时要将玉璋埋入地下，并在洁白的草席上陈列稻米。南山二经地区的居民，供奉龙身鸟首之神，祭祀时要将玉璧埋入地下，并献上稻米。南山三经地区的居民，供奉龙身人面之身，祭祀的祭品有白狗和稻米。

《西山经》记有 4 条山脉，其方位大体在秦岭以北、阴山以南的陕西、内蒙古、宁夏、甘肃、青海、新疆一带。西山一经地区的居民，祭祀活动非常隆重。其中，华山地区的人们，祭品的规格是最高的太牢（同时献上猪、牛和羊三牲）。俞山地区的人们，祭祀活动极为虔诚，祭祀前要斋戒百日，祭祀时要献上百圭、百璧、百瑜，还有美酒百樽，并举行热烈的燎祭（在庭院点燃烟火，通过烟火把祭神者的心愿和祭品送达上天之神）。其他地区的人们，祭祀时要献上羊，点燃百草，把祭品陈列在五色丝装饰的白席之上。西山二经地区的居民，一部分供奉人面马身之神，祭品为雄鸡；另一部分供奉人面牛身之神（又称飞兽之神），祭品为少牢（同时献上羊和猪）。西山三经地区的居民，供奉羊身人面之神，祭品有吉玉和稷米。西山四经地区的居民，祭品有白鸡和稻米。

《北山经》记有 3 条山脉，其方位人体在今日的山西、河北、内蒙古（及其以北的地方）一带。北山一经地区的居民，供奉人面蛇身之神，祭品有雄鸡和玉圭。北山二经地区的居民，也供奉蛇身人面之神，祭品除了雄鸡之外，还要将一圭一璧投入深山以敬献给山神。北山三经地区的居民，第一部分人供奉马身人面之神，祭品为藻圭；第二部分人供奉彘身戴玉之神，祭品为美玉；第三部分人供奉彘身八足蛇尾之神，祭品为玉璧。他们都有一种特殊的习俗"皆食不火之物"，这可能是有关寒食节风俗的最早的文字记载了。

《东山经》记：有 4 条山脉，其方位大体在今日的山东、江苏一带，以及黄海和东海的诸岛屿，东山一经地区的居民，供奉人身龙首之神，祭品有犬和鱼。东山二经地区的居民供奉兽身人面（头戴麋鹿角）之神，祭品有鸡和璧。东山三经地区的居民，供奉人身羊角兽头之神，祭品为一只牡羊，还有黍米。东山四经地区居民的祭祀活动，由于文字缺失，我们今天已经不清楚了。

《中山经》记有 12 条山脉，其方佗大体在今日的河南、湖北、四川、湖南北部、江西北部、陕西南部一带。中山二经地区的居民，供奉人面鸟身之神，祭品有吉玉。中山三经地区的人们，供奉泰逢神、熏池神、武罗神（实际上是美丽的后宫娘娘），祭品有羊、雄鸡、吉玉和稻米。中山四经地区的居民，供奉人面兽身之神，祭品为一只用五色装饰的白鸡。中山五经地区的居民，一些地方的祭品为太牢和吉玉，一些地方的祭品为黑犬、雌鸡、牝羊和五色装饰的吉玉；还有一些地方的祭品为黑色的太牢三牲和美酒、玉璧，届时人们还要举办盛大的舞蹈活动。中山六经地区的人们，要举办祭岳活动。中山七经地区的居民，分别供奉猪身人面之神和三首人面之神，祭品或为太牢和吉玉，或为羊和藻玉。中山八经地区的居民，供奉鸟身人面之神，祭品或为雄鸡、藻圭和谷米，或为少牢、美酒、玉璧。中山九经地区的居民，一部分人供奉马身龙首之神，祭品为雄鸡和谷米；一部分人供奉熊神，祭品为太牢和美酒、玉璧，届时人们还要跳起武舞和文舞；还有一部分人供奉祖先之神，祭品为少牢和吉玉。中山十经地区的居民，供奉龙身人面之神和祖先之神，祭品或为雄鸡和五谷，或为少牢和美酒、玉璧，届时还有巫祝表演二人合舞。中山十一经地区的居民，供奉猪身人首之神和祖先之神，祭品或为雄鸡和玉圭、五谷，或为太牢、美酒、玉璧，或为少牢和吉玉等。中山十二经地区的居民，供奉鸟身龙首之神和祖先之神，祭品或为雄鸡、牝豚和谷米，或为少牢、吉玉和美酒，或为太牢和十五用五色装饰的圭璧。

无庸置疑，《五藏山经》对古代居民祭祀活动的记述，是极其珍贵的中国古代民族文化活动的记录，也是我们今天进行民族文化史研究工作的不可或缺的宝贵文献资料。这正是我们

今天研究《山海经》和绘制《山海经艺术地理复原图组画》和《帝禹山河图》的意义和价值之一。

同样值得重视的是，《山海经》记述的众多从事天文历法工作的巫师，也是中国古代科学技术的重要文献资料。例如，羲和发明的十日一旬的纪日历法，常羲发明的十二月一年的纪月历法，噎鸣发明的十二年一周的纪年历法，充分显示出中国古代天文学和历法学的高度发展。

二儿子是睚眦（yá zì）：它平身爱杀所以多被安在兵器上，用以威摄敌军。同时又用在仪仗上，以显得更加威严。

蚣蝮，实际写法为｛虫公｝｛虫夏｝，发音为八下（bā
xià），位于桥边的最喜欢水，常饰于石桥栏杆顶端。
在后门桥的四个角上蚣蝮，造型非常优美，传说它的
形象似龙非龙，似虾非虾，平生最喜欢水，伴水而居。
它爱喜波弄水，常年累月在河水中玩耍，又名帆蚣，
擅水性，喜欢吃水妖，据说是龙王最喜之子。

第二十七卷 《山海经》中的民俗

寒食习俗

自单狐之山至于隄山，凡二十五山……其山北人，皆生食不火之物。

自太行之山以至于无逢之山，凡四十六山，万二千三百五十里。……其祠之，皆用一璧瘗之。大凡四十四神，皆用徐糈米祠之，此皆不火食。

沐浴习俗

大荒之中，有不庭之山，荣水穷焉。有人三身，帝俊妻娥皇，生此三身之国，姚姓，黍食，使四鸟。有渊四方，四隅皆达，北属黑水，南属大荒；北旁名曰少和之渊，南旁名曰从渊，舜之所浴也。

又有白水山，白水出焉，而生白渊，昆吾之师所浴也。

东北海之外，大荒之中，河水之间，附禺之山，帝颛顼与九嫔葬焉。……丘方圆三百里，丘南帝俊竹林在焉，大可为舟。竹南有赤泽水，名曰封渊。有三桑无枝。丘西有沈渊，颛顼所浴。

舞龙求雨、逐旱魃、暴巫习俗

大荒东北隅中，有山名曰凶犁土丘。应龙处南极，杀蚩尤与夸父，不得复上。故下数旱，旱而为应龙之状，乃得大雨。

蚩尤作兵伐黄帝，黄帝乃令应龙攻之冀州之野。应龙畜水，蚩尤清风伯、雨师，纵大风雨。黄帝乃下天女曰魃，雨止，遂杀蚩尤。

女丑之尸，生而十日炙杀之。在丈夫北。以右手鄣其面。十日居上，女丑居山之上。

有人农青，以袂蔽面，名曰女丑之尸。

葬　俗

狄山，帝尧葬于阳，帝喾葬于阴。爰有熊、罴、文虎、蜼、豹、离朱、视肉、玨瑉、文王，皆葬其所。一曰汤山。一曰爰有熊、罴、文虎、蜼、豹、离朱、端久、视肉、摩交。其范林方二百里。

范林方三百里，在三桑东，洲环其下。务隅之山，帝颛顼葬于阳，九嫔葬于阴。一曰爰有熊、罴、文虎、离朱、鸱久、视肉。平丘在三桑东。爰有遗玉、青鸟、视肉、杨柳、甘柤、甘华，百果所生。有两山夹上谷，二大丘居中，名曰平丘。

南海之中，有泛天之山，赤水穷焉。赤水之东，有苍梧之野，舜与叔均之所葬也。爰有文贝、离俞、鸱久、鹰、贾、委维、熊、罴、象、虎、豹、狼、视肉。

帝尧、帝喾、帝舜葬于岳山。爰有文贝、离俞、鸱久、鹰、延维、视肉、熊、罴、虎、豹。朱木，赤枝，青华，玄实。

东北海之外，大荒之中，河水之间，附禺之山，帝颛顼与九嫔葬焉。爰有鸱久、文贝、离俞、鸾鸟、皇鸟、大物、小物。有青鸟、琅鸟、玄鸟、黄鸟、虎、豹、熊、罴、黄蛇、视肉、璇瑰、瑶碧，皆出卫于山。丘方圆三百里，丘南帝俊竹林在焉，大可为舟。竹南有赤泽水，名曰封渊。有三桑无枝。丘西有沈渊，颛顼所浴。

西南黑水之间，有都广之野，后稷葬焉。爰有膏菽、膏稻、膏黍、膏稷，百谷自生，冬夏播琴。鸾鸟自歌，风鸟自舞。灵寿实华，草木所聚。爰有百兽，相群爰处。此草也，冬夏不死。

美容与身份标识等习俗

厌火国在其南，兽身黑色，生火出其口中。一曰在讙朱东。

羿与凿齿战于寿华之野，羿射杀之。在昆仑虚东。羿持弓矢，凿齿持盾。一曰戈。

大荒之中，有山名曰融天，海水南入焉。有人曰凿齿，羿杀之。

长股之闯在雄常北，被发。一曰长脚。

柔利国在一目东，为人一手一足，反膝，曲足居上。一云留利之国，人足反折。

【鉴赏】

《山海经》对北山一经和北山三经的居民"皆生食不火之物"的记载，是有关寒食节习俗的最早文献记录之一。寒食节通常在清明节前一日或数日，亦称"禁烟节"、"冷节"。民间习俗这一天要禁烟火，只吃冷食，故而得名，相传此民俗源于纪念春秋时晋国忠臣介子推。当年介子推与晋文公重耳流亡列国，介子推曾割股肉供文公充饥一文公复国后，子推不求利禄，与母归隐绵山（山西省介休县东南）。文公焚山以求之，子推

仍不出山，最后抱树而死。文公葬其，于绵山，修祠立庙，并下令于子推焚死之日禁火寒食，以寄哀思，后相沿成俗。但根据《五藏山经》的记载，寒食节习俗早在四千多年前就已经有了。进一步说，所谓"不火"，寓意着预防火灾，我国北方春季天干物燥，需要特别注意防火，古人通过寒食节习俗巧妙而有效地普及了预防火灾知识，充分体现出我国先民拥有极高的生命智力。

《山海经》关于沐浴活动的记述，并非是讲寻常的澡浴，而是通过沐浴祈求获得新生。太平洋上的伊里安岛的猎人头部落，每个小孩都要经历如下仪式：被带到海边，假装衰老死亡，并被扔入海水里淹没一下，经过这个仪式，小孩便获得新生。事实上，泼水节等习俗，均可追溯到《山海绎》的沐浴活动。

《大荒东经》中"旱而为应龙之状，乃得大雨"，为舞龙求雨习俗。《大荒北经》中"魃时亡之，所欲逐之者"，为逐旱魃习俗。《海外西经》中"女丑之尸，生而十日炙杀之"，《大荒西经》中有人衣青，以袂蔽面，名曰女丑之尸，为暴巫习俗。中国古代农业主要：是靠天吃饭，旱灾、涝灾都会对农业造成巨大的损失。在这种情况下，中国先民希望能够在一定程度上控制雨水的多少，干旱时祈盼下雨，阴雨连绵时祈盼天晴，并由此形成一套完整的舞龙求雨、逐旱魃、暴巫习俗。龙是水族类动物的代表，古人相信它掌管雨水，因此采取"舞龙"的形式，祈盼龙王行雨。旱魃是旱神，因此采取"逐旱魃"的形式，祈盼旱魃离开，从而风调雨顺。巫师承担着代表民意与天神沟通的责任，如果巫师不能够传达民意，那么巫师就应该受到惩罚并以身殉职，这就是"暴巫"的文化内涵。

《山海经》记载了多处先祖的墓地及葬俗，除了墓穴之外，葬俗主要体现在祭坛、陪葬物和墓林等方面，其中陪葬物不但丰富，而且已经形成了某种规范。此外，《五藏山经》祭祀山神的文字里，也有关于先祖葬俗的内容，可参阅本书《山海经的祭祀活动和群巫》一章，此处从略。

与此同时，《山海经》还记录着大量的有关美容与身份标识等习俗。例如，凿齿习俗、文身习俗，既是对美的追求（不同时代有着不同的审美标准），也是族属和社会地位的标识。又如，踩高跷表演、柔术表演、魔术表演等习俗，则体现出古人有着广泛的生活情趣；而正是这种积极向上的生活态度，鼓励着人们克服困难，永远向前。

第二十八卷 《山海经》的医药与预测

医 药

（一）南山经

招摇山：有草焉，其状如韭而青华，其名曰祝余，食之不饥。有木焉，其状如榖而黑理，其华四照，其名曰迷榖，佩之不迷。有兽焉，其状如禺而白耳，伏行人走，其名曰狌狌，食之善走。丽麀之水出焉，而西流注于海，其中多育沛，佩之无瘕疾。

杻阳山：有兽焉，其状如马而白首，其文如虎而赤尾，其音如谣，其名曰鹿蜀，佩之宜子孙。怪水出焉，而东流注于宪翼之水；其中多玄龟，其状如龟而鸟首虺尾，其名曰旋龟，其音如判木，佩之不聋，可以为底。

柢山：有鱼焉，其状如牛，陵居，蛇尾有翼，其羽在魼下，其音如留牛，其名曰鯥，冬死而夏生，食之无肿疾。

亶爰山：有兽焉，其状如狸而有髦，其名曰类，自为牝牡，食者不妒。

基山：有兽焉，其状如羊，九尾四耳，其目在背，其名曰猼訑，佩之不畏。有鸟焉，其状如鸡而三首六目，六足二翼，

其名曰会鹘鸼，食之无卧。

青丘山：有兽焉，其状如狐而九尾，其音如婴儿，能食人，食者不蛊。有鸟焉，其状如鸠，其音若呵，名曰灌灌，佩之不惑。英水出焉，南流注于即翼之泽；其中多赤鱬，其状如鱼而人面，其音如鸳鸯，食之不疥。

祷过山：泿水出焉，而南流注于海。其中有虎蛟，其状鱼身而蛇尾，其音如鸳鸯，食者不肿，可以已痔。

仑者山：有木焉，其状如榖而赤理，其汗如漆，其味如饴，食者不饥，可以释劳，其名曰白䓘，可以血玉。

（二）西山经

钱来山：有兽焉，其状如羊而马尾，名曰羬羊，其脂可以已腊。

松果山：有鸟焉，其名曰䳋渠，其状如山鸡，黑身赤足，可以已瀑。

小华山：其草有萆荔，状如乌韭，而生于石上，亦缘木而生，食之已心痛。

符禺山：其上有木焉，名曰文茎，其实如枣，可以已聋。其草多僚，其状如條，而赤华黄实，如婴儿舌，食之使人不惑。

石脆山：其草多条，其状如韭，而白华黑实，食之已疥……灌水出焉，而北流注于禺水。其中有流赭，以涂牛马无病。

英山：有鸟焉，其状如鹑，黄身而赤喙，其名曰肥遗，食之已疠，可以杀虫。

竹山：有草焉，其名曰黄蓲，其状如樗，其叶如麻，白华而赤实；其状如赭，浴之已疥，又可以已胕。

浮山：有草焉，名曰薰草，麻叶而方茎，赤华而黑实，臭如蘼芜，佩之可以已疠。

羬次山：有鸟焉，其状如枭，人面而一足，曰橐𩇯，冬见夏蛰，服之不畏雷。

蟠冢山：有草焉，其叶如蕙，其本如桔梗，黑华而不实，名曰蓇蓉，食之使人无子。

天帝山：有兽焉，其状如狗，名曰谿边，席其皮者不蛊。有鸟焉，其状如鹑，黑文而赤翁，名曰栎，食之已痔。有草焉，其状如葵，其臭如蘼芜，名曰杜衡，可以走马，食之已瘿。

皋涂山：有白石焉，其名曰礜，可以毒鼠。有草焉，其状如槀茇，其叶如葵而赤背，名曰无条，可以毒鼠。……有鸟焉，其状如鸱而人足，名曰数斯，食之已瘿。

上申山：其鸟多当扈，其状如雉，以其髯飞，食之不眴目。

英鞮山：流水出焉，而北流注于陵羊之泽；是多冉遗之鱼，鱼身蛇首六足，其目如马耳，食之使人不眯，可以御凶。

中曲山：有木焉，其状如棠，而员叶赤实，实大如木瓜，名曰怀木，食之多力。

不周山：爰有嘉果，其实如桃，其叶如枣，黄华而赤柎，食之不劳。

崒山：其上多丹木，员叶而赤茎，黄华而赤实，其味如饴，食之不饥。

昆仑丘：有木焉，其状如棠，黄华赤实，其味如李而无核，名曰沙棠，可以御水，食之使人不溺。有草焉，名曰薲草，其状如葵，其味如葱，食之已劳。

（三）北山经

求如山：其中多滑鱼，其状如鳝，赤背，其音如梧，食之已疣。

带山：有鸟焉，其状如乌，五采而赤文，名曰鹗鸒，是自为牝牡，食之不疽。彭水出焉，而西流注于芘湖之水，其中多鯈鱼；其状如鸡而赤毛，三尾、六足、四目，其音如鹊，食之可以已忧。

谯明山：谯水出焉，西流注于河。其中多何罗之鱼，一首而十身，其音如吠犬，食之已痈。

涿光山：嚣水出焉，而西流注于河。其中多鳛鳛之鱼，其状如鹊而十翼，鳞皆在羽端，其音如鹊，可以御火，食之不瘅。

丹熏山：有兽焉，其状如鼠，而兔首麋耳，其音如獋犬，以其尾飞，名曰耳鼠，食之不睬，又可以御百毒。

蔓联山：有鸟焉，群居而朋飞，其毛如雌雉，名曰鹍，其鸣自呼，食之已风。

单张山：有鸟焉，其状如雉，而文首、白翼、黄足，名曰白鵺，食之已嗌痛，可以已痢。

少咸山：敦水出焉，东流注于雁门之水；其中多鮆鮆之鱼，食之杀人。

狱法山：瀤泽之水出焉，而东北流注于泰泽。其中多鱲鱼，其状如鲤而鸡足，食之已疣。有兽焉，其状如犬而人面，善投，见人则笑，其名山急急狎，其行如风，见则天下大风。

北岳山：者怀之水出焉，而西流注于嚣水。其中多鮨鱼，鱼身而犬首，其音如婴儿，食之已狂，

甘枣山：其上多枏木。其下有草焉，葵本而杏叶，黄华而荚实，名曰箨，可以已瞢，有兽焉，其状如鼣鼠而文题，其名曰㺔，食之已瘿。

历儿山：多櫔木，是木也，方茎而员叶，黄华而毛，其实如楝，服之不忘。

渠猪山：渠猪之水出焉，而南流注于河；其中是多豪鱼，状如鲔，赤喙尾赤羽，可以已白癣。

脱扈山：有草焉，其状如葵叶而赤华荚实，实如棕荚，名曰植楮，可以已癙，食之不眯。

金星山：多天婴，其状如龙骨，可以已痤。

牛首之山：有草焉，名曰鬼草，其叶如葵而赤茎，其秀如禾，服之不忧。劳水出焉，而西流注于涌水；是多飞鱼，其状如鲋鱼，食之已痔衕。

阴山：少水出焉，其中多彫棠，其叶如榆叶而方，其实如赤菽，食之已聋。

鼓镫山：有草焉，名曰荣草，其叶如柳，其本如鸡卵，食之已风。

县雍山：晋水出焉，而东南流注于汾水。其中多鮆鱼，其状如儵而赤鳞，其音如叱，食之不骄。

北嚣山：有鸟焉，其状如乌，人面，名曰鹭鹍，宵飞而昼伏，食之已暍。

梁渠山：有鸟焉，其状如夸父，四翼、一目、犬尾，名曰嚣，其音如鹊，食之已腹痛，可以止衙。

龙侯山：决决之水出焉，而东流注于河。其中多人鱼，其状鳜鱼，四足，其音如婴儿，食之无痴疾。

马成山：有鸟焉，其状如乌，首白而身青、足黄，是名曰鹐鸪，其鸣自詨，食之不饥，可以已寓。

成山：条菅之水出焉，而西南流注于长泽；其中多器酸，三岁一成，食之已疠。

阳山：有兽焉，其状如牛而赤尾，其颈𦜕，其状如句瞿，其名曰领胡，其鸣自詨，食之已狂。……留水出焉，而南流注于河。其中有𩺰父之鱼，其状如鲋鱼，鱼首而彘身，食之已呕。

景山：有鸟焉，其状如蛇，而四翼、六目、三足，名曰酸与，其鸣自詨，见则其邑有恐。

小侯山：有鸟焉，其状如乌而白文，名曰鸪鹠，食之不灂。

轩辕山：有鸟焉，其状如枭而白首，其名曰黄鸟，其鸣自詨，食之不妒。

饶山：历虢之水出焉，而东流注于河。其中有师鱼，食之杀人。

（四）东山经

葛山首：澧水出焉，东流注于余泽。其中多珠鳖鱼，其状如肺而四目，六足有珠，其味酸甘，食之无疠。

北号山：有木焉，其状如杨，赤华，其实如枣而无核，其味酸甘，食之不疟。

旄山：苍体之水出焉，而西流注于展水。其中多鱃鱼，其状如鲤而大首，食者不疣。

东始山：有木焉，其状如杨而赤理，其汁如血，不实，其名曰杞，可以服马。泚水出焉，而东北流注于海。其中多美贝，多茈鱼，其状如鲋，一首而十身，其臭如藤芜，食之不屁。

（五）中山经

昆吾山：有兽焉，其状如彘而有角，其音如号，名曰蠪蚳，食之不眯。

青要山：其中有鸟焉，名曰鴢，其状如凫，青身而朱目赤尾，食之宜子。有草焉，其状如葌，而方茎黄华赤实，其本如藁本，名曰荀草，服之美人色。

騩山：正回之水出焉，而北流注于河。其中多飞鱼，其状如豚而赤文，服之不畏雷，可以御兵。

首山：多㺩鸟，其状如枭而三目，有耳，其音如录，食之已垫。

厘山：其中有鸟焉，状如山鸡而长尾，赤如丹火而青喙，名曰鸰䳀，其鸣自呼，服之不眯。

橐山：橐水出焉，而北流注于河。其中多脩辟之鱼，状如黾而白喙，其音如鸱，食之已白癣。

阳华山：其草多藷萸，多苦辛，其状如楤，其实如瓜，其味酸甘，食之已疟。

休与山：其上有石焉，名曰帝台之棋，五色而文，其状如鹑卵。帝台之石，所以祷百神者也，服之不蛊。

姑媱山：帝女死焉，其名曰女尸，化为䔄草，其叶胥成，其华黄，其实如菟丘，服之媚于人。

苦山：其上有木焉，名曰黄棘，黄华而员叶，服之不字。有草焉，员叶而无茎，赤华而不实，名曰无条，服之不瘿。

堵山：其上有木焉，名曰天楄，方茎而葵状，服者不噎。

放皋山：有木焉，其叶如槐，黄华而不实，其名曰蒙木，服之不惑。

大苦山：有草焉，其状叶如榆，方茎而苍伤，其名曰牛伤，其根苍文，服者不厥，可以御兵。其阳狂水出焉，西南流注于伊水。其中多三足龟，食者无大疾，可以已肿。

半石山：其上有草焉，生而秀，其高丈余，赤叶赤华，华而不实，其名曰嘉荣，服之者不霆。来需之水出于其阳，而西流注于伊水；其中多鯩鱼，黑文，其状如鲋，食者不睡。合水出于其阴，而北流注于洛；多䲣鱼，状如鳜，居逵，苍文赤尾，食者不痈，可以为瘘。

少室山：其上有木焉，其名曰帝休，叶状如杨，其枝五衢，黄华黑实，服之不怒。……休水出焉，而北流注于洛。其中多鯑鱼，状如盩蜼而长距，足白而对，食者无益疾，可以御兵。

泰室山：其上有木焉，叶状如梨而赤理，其名曰栯木，服者不妒。有草焉，其状如苍，白华黑实，泽如蘡薁，其名曰䔄草，服之不昧。

浮戏山：有木焉，叶状如樗而赤实，名曰亢木，食之不蛊。

少陉山：有草焉，名曰㩡草，叶状如葵，而赤茎白华，实如蘡薁，食之不愚。

太山：有草焉，名曰梨，其叶状如荻而赤华，可以已疽。

敏山：上有木焉，其状如荆，白华而赤实，名曰葡柏，服者不寒。

大騩山：有草焉，其状如蓍而毛，青华而白实，其名曰蒗，服之不夭，可以为腹病。

蛇山：有兽焉，其状如狐，而白尾长耳，名㹨狼，见则国内有兵。

兔床山：其草多鸡谷，其本如鸡卵，其味酸甘，食者利于人。

堇理山：有鸟焉，其状如鹊，青身白喙，白目白尾，名曰青耕，可以御疫，其鸣自叫。

依轳山：有兽焉，其状如犬，虎爪有甲，其名曰獜，善駚牟，食者不风。

高前山：其上有水焉，甚寒而清，帝台之浆也，饮之者不心痛。

从山：从水出于其上，潜于其下。其中多三足鳖，枝尾，食之无蛊疫。

预　测

（一）南山经

柜山：有兽焉，其状如豚，有距，其音如狗吠，其名曰狸力，见则其县多土功。有鸟焉，其状如鸱而人手，其音如痹，其名曰鴸，其名自号也，见则其县多放士。

长右山：有兽焉，其状如禺而四耳，其名长右，其音如吟，见则郡县大水。

尧光山：有兽焉，其状如人而彘鬣，穴居而冬蛰，其名曰猾裹，其音如斫木，见则县有大繇。

丹穴山：有鸟焉，其状如鸡，五采而文，名曰凤皇。首文曰德，翼文曰义，背文曰礼，膺文曰仁，腹文曰信。是鸟也，饮食自然，自歌自舞，见则天下安宁。

鸡山：黑水出焉，而南流注于海。其中有鱄鱼，其状如鲋而彘毛，其音如豚，见则天下大旱。

令丘山：有鸟焉，其状如枭，人面四目而有耳，其名曰颙，其鸣自号也，见则天下大旱。

（二）西山经

太华山：有蛇焉，名曰肥遗，六足四翼，见则天下大旱。

女床山：有鸟焉，其状如翟而五采文，名曰鸾鸟，见则天下安宁。

鹿台山：有鸟焉，其状如雄鸡而人面，名曰凫徯，其鸣自叫也，见则有兵。

小次山：有兽焉，其状如猿，而白首赤足，名曰朱厌，见则有兵。

邦山：濛水出焉，南流注于洋水。其中多黄贝，嬴鱼，鱼身而鸟翼，音如鸳鸯，见则其邑大水。

鸟鼠同穴山：渭水出焉，而东流注于河。其中多鳋鱼，其状如鳣鱼，动则其邑有大兵。

崦嵫山：其上多丹木，其叶如构，其实大如瓜，赤符而黑理，食之已瘅，可以御火。……有鸟焉，其状如鸮而人面，蜼身犬尾，其名自号也，见则其邑大旱。

崇吾山：有木焉，员叶而白柎，赤华而黑理，其实如枳，食之宜子孙。……有鸟焉，其状如凫，而一臂一目，相得乃飞，名曰蛮蛮，见则天下大水。

钟山：其子曰鼓，其状如人面而龙身，是与钦䲹杀葆江于昆仑之阳，帝乃戮之钟山之东曰瑶崖。钦䲹化为大鹗，其状如雕而黑文白首，赤喙而虎爪，其音如晨鹄，见则有大兵。鼓亦化为鵕鸟，其状如鸱，赤足而直喙，黄文而白首，其音如鹄，见则其邑大旱。

　　槐江山：有天神焉，其状如牛，而八足二首马尾，其音如勃皇，见则其邑有兵。

　　玉山：有兽焉，其状如犬而豹文，其角如牛，其名曰狡，其音如吠犬，见则其国大穰。有鸟焉，其状如翟而赤，名曰胜遇，是食鱼；其音如錄，见则其国大水。

　　章莪山：有鸟焉，其状如鹤，一足，赤文青质而白喙，名曰毕方，其鸣自叫也，见则其邑有讹火。

　　翼望山：有兽：焉，其状如狸，一目而三尾，名曰讙，其音如夺百声，是可以御凶，服之已瘅。有鸟焉，其状如乌，三首六尾而善笑，名曰鸺鹠，服之使人不厌，又可以御凶。

（三）北山经

　　浑夕山：有蛇一首两身，名日肥遗，见则其国大旱。

　　錞于毋逢山：北望鸡号之山，其风如飚。西望幽都之山，浴水出焉。是有大蛇，赤首白身，其肯如牛，见则其邑大旱。

（四）东山经

　　犲山：有兽焉，其状如夸父而彘毛，其音如呼，见则天下大水。

　　独山：末涂之水出焉，而东南流注于沔。其中多䖺蟒，其状如黄蛇，鱼翼，出入有光，见则其邑大旱。

　　空桑山：有兽焉，其状如牛而虎文，其音如吟，其名曰軨軨，其鸣自叫，见则天下大水。

　　余峨山：有兽焉，其状如菟而鸟喙，鸱目蛇尾，见人则眠，名曰犰狳，其鸣自訆，见则螽蝗为败。

耿山：有兽焉，其状如狐而鱼翼，其名曰朱獳，其鸣自訆，见则其国有恐。

卢其山：沙水出焉，南流注于涔水。其中多鹭鹏，其状如鸳鸯而人足，其鸣自叫，见则其国多土功。

姑逢山：有兽焉，其状如狐而有翼，其音如鸿雁，其名曰獙獙，见则天下大旱。

碄山：有兽焉，其状如马，而羊首、四角、牛尾，其音如獋狗，其名曰峳峳，见则其国多狡客。有鸟焉，其状如凫而鼠尾，善登木，其名曰絜钩，见则其国多疫。

女烝山：石膏水出焉，而西注于鬲水。其中多薄鱼，其状如鳣鱼而一目，其音如欧，见则天下大旱。

钦山：有兽焉，其状如豚而有牙，其名曰当康，其鸣自叫，见则天下大穰。

子桐山：子桐之水出焉，而西流注于余如之泽。其中多滑鱼，其状如鱼而鸟翼，出入有光，其音如鸳鸯，见则天下大旱。

剡山：有兽焉，其状如彘而人面，黄身而赤尾，其名曰合窳，其音如婴儿；是兽也，食人，亦食虫蛇，见则天下大水。

太山：有兽焉，其状如牛而白首，一目而蛇尾，其名曰蜚，行水则竭，行草则死，见则天下大疫。

（五）中山经

鲜山：鲜水出焉，而北流注于伊水。其中多鸣蛇，其状如蛇而四翼，其音如磬，见则其邑大旱。

阳山：阳水出焉，而北流注于伊水。其中多化蛇，其状如人面而豺身，鸟翼而蛇行，其音如叱呼，见则其邑大水。

敖岸山：有兽焉，其状如白鹿而四角，名曰夫诸，见则其邑大水。

熊山：有穴焉，熊之穴，恒出神人。夏启而冬闭，是穴也，冬启乃必有兵。

乐马山：有兽焉，其状如彙，赤如丹火，其名曰猴，见则其国大疫。

倚帝山：有兽焉，状如鼣鼠，白耳白喙，名曰狙如，见则其国有大兵。

鲜山：有兽焉，其状如膜犬，赤喙、赤目、白尾，见则其邑有火，名曰狓即。

历石山：有兽焉，其状如狸，而白首虎爪，名曰梁渠，见则其国有大兵。

几山：有兽焉，其状如彘，黄身、白头、白尾，名曰闻磷，见则天下大风。

【鉴赏】

上面为《山海经》有部分预测活动和医药内容的记述，其信息量非常丰富。此外，由于许多草木属于常见草药，因此经文仅述及其名，而未提及其药效。其中，《五藏山经》共记述有类似预测行为 56 条，其中《南山经》7 条，《西山经》15 条，《北山经》4 条，《东山经》16 条，《中山经》14 条，可以看出居住在《东山经》所述地区的人们对预测活动有着更浓厚的兴趣。《五藏山经》所述预测活动均属于前兆判断，其水平尚处于初级阶段，这也足该书相当古老的标志之一。其中，具有前兆功能的事物绝大多数为动物，计有 52 种，此外还有人神 2 种、器物 1 种、自然物 1 种，共计 56 种。预测的内容，包括劳役 1 项、土功 2 项、放士 1 项、多狡客 1 项、疾疫 4 项、火灾 2 项、恐慌 3 项、国败 1 项、战争 9 项、天下安宁 2 项、大风 2 项、大水 9 项、大旱 13 项、虫害 1 项、风雨水为败 1 项、霜 1 项、大穰 3 项，与农业相关的有 30 项之多，令人多少有些诧异的是缺少渔猎畜牧业的内容。

有必要说明的是，本文对预测和医药放在一起进行鉴赏，一方面是因为两者往往在《山海经》里被一起记述，另一方面也是因为两者在本质上是一致的，都属于生命智力带有预见性的智力活动范畴。

生命智力学暨智因进化论的核心内容是，生命与生命智力同时起源、同步进化，生命智力的实质是使用间接信息达成期望效应。所有的生命都拥有生命智力，不同的生命拥有：不同结构、不同形式和不同层次的生命智力，生物进化的实质是生命智力主导实施的生存方式多样化和生存技术复杂化。

人类之所以能够从生物世界脱颖而出，乃是因为人类的生命智力发展到了一个全新的阶段，其主要标志是火的应用，即举起火把才是人。接下来，人类社会的发展，主要取决于预见性（属于期望效应）的不断提高，而预测行为和医药的应用都离不开预见性，或者离不开对预见性的追求。

从《山海经》的记述可知，古人的预测行为，使用的方法

是"用某一个因素去对应某一种现象"，他们关心的问题主要是社会是否安宁、是否有战争、是否有旱涝灾害、是否丰收、是否有瘟疫等等。古人的医药实践，基本上处于"单方治病"的阶段，即用一味草药（包括动物、矿石等）去对应医治一种疾病（包括美容、养生、长寿）。从这个侧面来说，《山海经》的撰写时代应该是非常古老的，而且其内容也是真实可靠的。

第二十九卷　《山海经》中的天文奇观

　　天上的星星，是宇宙的眼睛。大自然想了解自己，它把这个任务交给了人。当人类开始仰望星空时，人类的生命智力又一次得到升华。中华民族远古神话传说记述着先民对日月星空的观感，中国先秦典籍《山海经》、《尚书》、《诗经》等著作中记录着先民对日月星空的观察，我们这里重点谈一谈《山海经》描述的天文奇观（包括天文历法）。

　　我们的地球位于银河系的太阳系之中，地球有自转和公转，地球是太阳的行星，月球是地球的卫星。宇宙星辰、太阳、月亮、行星、彗星、流星、陨石和风云雨雪，它们对人类的生存有着决定性的以及不可忽视的作用。因此，仰望星空就成为人类社会生活中非常重要的内容之一，对天文星象的观测，对历法的计算，对气象的观察，就构成了人类生存极其重要的天文历法资源和气象资源。在《山海经》一书里，就记录有中国人早在先秦时期进行的精确的天文历法观测和细致的气象观察活动。进一步说，观测天象、颁布历法，既是采集、狩猎、畜牧和农业等生存活动所需，也是构成社会管理权力的重要组成部分。

羲和与纪日历法

天空中最大最耀眼的星体是太阳，因此太阳理所当然成为人类最早观测的天文历法对象，而对日升日落的计数也就构成最早的纪日历法，《山海经》里就记录有中国古人的纪日历法活动。

《山海经·大荒南经》："东（南）海之外，甘水之间，有羲和之国。有女子名曰羲和，方浴日于甘渊。羲和者，帝俊之妻，生十日。"

《山海经·海外东经》："下有汤谷。汤谷上有扶桑，十日所浴，在黑齿北。居水中，有大小，九日居下枝，一日居上枝。"

《山海经·大荒东经》："大荒之中，有山名曰孽摇頵羝，上有扶木，柱三百里，其叶如芥。有谷曰温源谷。汤谷上有扶木，一日方至，一日方出，皆载于乌。"

所谓羲和"生十日"、"浴日于甘渊"云云，记述的是古代帝俊（或谓即帝舜）部落的一项重要的天文巫术活动，主持者为帝俊的妻子羲和，她在模拟十个太阳依次从东方海中升起的场景；每天升起一个太阳，并依次为十个太阳命名

（有可能用的正是甲乙丙丁戊己庚辛壬癸这 10 个天干字符），这是有文字记载的最早的以十日为一旬的纪日历法。由于古人相信西落的太阳要经过黑暗的地下通道才能重新返回东海，因此羲和还要为每一个返回的太阳进行清洗，以便使其重新恢复光热。据此可知，羲和是一位披着巫术外衣的天文学家，她负责制定并颁布纪日历法。中国先民采用十日为一旬的纪日历法，得益于十进制的建立，而且有助于计算一年的天数。根据先秦典籍《书·尧典》记载，在帝尧时代（7000 年前），已经精确的测算出一年有 366 天。

所谓"一日方至"云云，是说汤谷的扶桑树上有十个太阳，它们轮流出没，每当一个太阳从西方回来（经由地下）时，就有另一个太阳从扶桑树上飞起，所有的太阳都由三足乌驮载着运行。显然，《大荒东经》的汤谷即《大荒南经》的甘渊。《论衡·说日》称"日中有三足乌"，《淮南子·精神训》称"日中有蹲乌"，古人产生日中有乌的观念，一是源自太阳的运动需要有动力，二是因为古人观察到太阳上面有黑子。至于太阳金乌为什么有三足，可能与古人追求奇异的心态有关。此外，古人制作陶鸟时，为了使其能够平稳站立，常常要加塑一足，久而久之人们便形成三足乌的传说。与此同时，《山海经》关于扶桑树上有十个太阳轮流出没的记载，已经被三星堆出土的青铜神树所证实。

常羲与纪月历法

　　夜晚天空最大最明亮的星体是月球，月球的圆缺轮回周期变化对古人来说更具有神秘的吸引力。当古人计数一年里月圆月缺的周期次数时，纪月历法就诞生了，《山海经》里就有相关的记述。

　　《山海经·大荒西经》："有女子方浴月。帝俊妻常羲，生月十有二，此始浴之。"

　　所谓"生月十有二"，是说帝俊的妻子常羲发明了或者负责颁布一年十二个月的纪月历法。所谓"方浴月"，则是一种天文历法演示巫术，与羲和浴日类似，即在象征月亮升起的海面上，模拟十二个月亮依次升起的场景；并为每一个新升的月亮洗浴，使其重新明亮起来。或许，常羲也曾经为依次升起的十二个月亮分别起了名字，有可能使用的就是十二地支"子丑寅卯辰巳午未申酉戌亥"。

　　《山海经·大荒东经》："有女和月母之国。有人名曰鹓，北方曰鹓，来之风曰狱，是处东北（极）隅以止日月，使无相间出没，司其短长。"

　　郝懿行注谓："女和月母即羲和、常羲之属也。谓之女与

母者，《史记·赵世家》索隐引谯周云："余尝闻之代俗，以东西阴阳所出入，宗其神，谓之王父母。"据谯周斯语，此经"女和月母"之名，盖以此也。据此可知，除了帝俊的妻子羲和负责颁布纪日历法、常羲负责颁布纪月历法之外，在其他部落或方国也有女性天文学家负责颁布纪日历法和纪月历法。其中，女和月母之国可能更偏重于纪月历法，那里的天文历法主管人名叫鹓，她通过观测月相的变化和日影的长短，以及来自北方的季风，履行其职责。

《山海经》里的五大行星

当人类仔细观察天上的天体时，除了太阳和月亮之外，他们也会逐渐注意到满天星斗里，有几颗相对位置不断发生周期性变化的星星（行星），而其他的几千颗星星（肉眼通常可分辨出6000颗）总是一起围绕着北斗星同步旋转，而它们彼此之间的相对位置却并不发生变化（恒星）。中国先民很早就知道五大行星即水星（辰星）、金星（启明、长庚、太白）、火星（荧惑）、木星（岁星）、土星（镇星、填星），我们今天通过望远镜知道太阳系里共有8颗大的行星（包括地球、天王星、海王星），以及成千上万的小行星。那么，中国先民是什么时候知道五大行星的呢？《山海经》里有关于五大行星的记载吗？

（一）《山海经》里有金星

《山海经·五藏山经·中山经》的中次一经记有："又东二十里，曰金星之山。多天婴，其状如龙骨，可以已痤。"这座金星山的名称，或可表明当时（帝禹时代）人们已经知道五大行星之一的金星。

《山海经·海内西经》记有："海内昆仑之虚，在西北，帝之下都。昆仑之虚，方八百里，高万仞。上有术禾，长五寻，大五围。面有九井，以玉为槛。面有九门，门有开明兽守之。百神之所在，在八隅之岩，赤水之际，非仁羿莫能上冈之岩……开明兽身大类虎而九首，皆人面，东向立昆仑上。"

所谓"开明兽"原本应是"启明兽"，汉代学者编校《山海经》时为了避汉景帝刘启的讳而改"启"为"开"，类似的例子在《山海经》里还有把"夏后启"改为"夏后开"。由于金星在中国古代又称为"启明星"（出现于早晨太阳升起前的东方地平线上）和"长庚星"（出现在傍晚太阳落山后的西方地平线上），因此启明兽"东向立昆仑上"的说法，表明启明兽（在《西山经》里是神陆吾）的职责是观察启明星预报天亮。据此可知，当时（周代）人们已经在根据金星来报时了。

（二）《山海经》的木星纪年

在五大行星里，亮度最高的是金星、火星和木星，其中尤以木星最显著。《山海经·海外南经》（实际上应是《五藏山经·禹曰》）记有："地之所载，六合之间，四海之内，照之以日月，经之以星辰，纪之以四时，要之以太岁，神灵所生，其物异形，或天或寿，唯圣人能通其道。"

六合，指前后左右上下六个方位，亦即三维空间。四海，古人相信大地被东南西北四个方向的大海包围着，四海之内即陆地所及范围。四时即春夏秋冬四季。太岁即木星，或者准确说是木星纪年；木星十二年绕太阳一周，古人就用十二地支来分别命名每一年，十二生肖动物纪年和六十甲子纪年均与木星纪年有关。

《山海经·海内经》："炎帝之妻，赤水之子听诀生炎居；炎居生节并，节并生戏器，戏器生祝融。祝融降处于江水，生共工；共工生术器，术器首方颠，是复土穰，以处江水。共工生后土，后土生噎鸣，噎鸣生岁十有二。"

此处经文"共工生术器，术器首方颠，是复土穰，以处江水。共工生后土，后土生噎鸣，噎鸣生岁十有二"，与《大荒西经》天枢日月山记述的内容有相近之处。术器"首方颠"，类似嘘"两足反属于头上"，均系具有巫术色彩的特殊动作。由于我国出土了数十颗 3000 年前至 5200 年前的有洞头骨，从这个角度看"术器首方颠"，或许可以解读为对术器（大约在 4000 年前至 6000 年前之间）实施了开颅巫术，以使他具有特殊的本领。在中国传统文化里，巫师（同时兼科学家）是能够与天沟通的神人，在头骨上开洞的象征意义正是与天沟通（开天目）。据此可以推测，那个时代的巫师氏族，当小孩成年时，要在头骨上开洞，表明他从此就具备了行使巫术的能力和权力。

噎鸣"生岁十有二"，类似噎（即嘘）"处于西极以行日月星辰之行次"，均为天文观测活动；噎之名与噎鸣几乎完全相同，因此有理由认为噎即噎鸣。两者的差别在于，噎的父祖为重黎、老童、颛顼，而噎鸣的父祖为后土（术器）、共工、祝融、炎帝；也就是说，黄帝族与炎帝族都有负责天文观测的人，并使用着相同或相近的职务名称（帝俊族天文官的名称为羲和、常羲，而羲与嘘音相近）。

所谓噎鸣"生岁十有二"，"岁"即木星（又称太阴、太岁），意思是说噎鸣发现了木星十二年绕太阳一周的运动规律，并为每年木星所在天空位置分别起名。众所周知，今天测定的木星绕日周期为 11.8 年，比古人测定值略微小一点；这有可能是古人的测定存在一些误差，但也有可能在古代木星周期曾经确实非常接近 12 年一周天的数值。

木星是星空中亮度仅次于太阳和月亮的周期运动行星，中国先民很早就发现它在星空中的位置（准确说是在太阳系的位置）对地球生物圈有着重要的影响。《计倪子》称："太阴三岁处金则穰，三岁处水则毁，三岁处木则康，三岁处火则旱。"计倪子（公元前 6 世纪—前 5 世纪）又名计然、计研，乃春秋时期越国大臣范蠡（公元前 6 世纪—前 5 世纪）的老师，其先人乃晋国的贵族。浙江省丽水县缙云仙都有一处"倪翁洞"景观，相传就是当年计倪子隐居的地方。

我们前面已经谈到，计倪子的上述观点属于自然环境气候经济学或天文经济学，大意是：当木星三年位于"金"的方位时，农作物丰收；当木星三年位于"水"的方位时，将发生水涝灾害，农作物减产；当木星三年位于"木"的方位时，农业收成好，人们生活安康；当木星三年位于"火"的方位时，将出现旱灾，农业收成不好。人们只要掌握了这种规律，就可以提前作准备，并获得丰厚的经济利益。与此同时，十二生肖动物的排列也存在着三年一组的规律性，以及食草动物与食肉动物交替兴旺的规律性，并且符合计倪子所说的木星十二年一周天影响地球气候水旱交替周期性变化规律。

（三）《山海经》里可能有水星、火星、土星

虽然《山海经》里没有直接提到水星、火星、土星这三颗行星，但是这并不一定就意味着《山海经》时代的人们不知道天空中还有水星、火星、土星这三颗也能够移动位置的星星。事实上，《山海经·禹曰》"经之以星辰"、《山海经·大荒西经》"噎，处于西极，以行日月星辰之行次"，都可表明当时人们已经知道五大行星，而且还在观测太阳、月亮、五大行星的运行规律。此外，由于土星的运行周期与二十八星宿相近，因此如果《山海经》里有二十八星宿，亦可表明当时人们已经知道土星。

《山海经》与二十八星宿

除了十二生肖动物之外，我国古代也将二十八星宿与28种动物挂钩：东方青龙七宿，角（蛟）、亢（龙）、氐（貉）、房（兔）、心（狐）、尾（虎）、箕（豹）；北方玄武七宿，斗（獬）、牛（牛）、女（蝠）、虚（鼠）、危（燕）、室（猪）、壁（猜）；西方白虎七宿，奎（狼）、娄（狗）、胃（雉）、昴（鸡）、毕（乌）、觜（猴）、参（猿）；南方朱雀七宿，井（犴）、鬼（羊）、柳（獐）、星（马）、张（鹿）、翼（蛇）、轸（蚓），其中就包括十二生肖动物。

不难看出，二十八星宿动物是以龙为首，这与十二生肖动物以鼠为首明显不同。但是，如果仔细看，可以发现两者仍然有着排序上的相同规律，只是前者被分成了两段，即二十八星宿的动物，若从虚宿的鼠开始，向前追溯则依次为牛、虎、兔、龙；然后，再接着轸宿的蛇，向前追溯则依次为马、羊、猴、鸡、狗、猪。那么，二十八星宿的动物排列法，与十二生肖动物的排列法，孰先孰后呢？这个问题专家学者也没有定论。不过，一般来说，人们认识世界多半是从简单到复杂，因此十二生肖动物排列法的出现可能先于二十八星宿动物排列法的形成。

（一）《山海经》与二十八星宿

既然《山海经》里不但记载有十二生肖动物，而且也差不多记述了二十八星宿动物，那么《山海经》是不是也记载了二十八星宿呢？有学者（例如吴晓东）对此持肯定的看法，其主要理由是，根据《大荒东经》与《大荒西经》中七对东西相对的日月出入之山的记述，以及《大荒南经》与《大荒北经》文本里未被人发现的另外七对南北相对的用来观测星辰的山峰，将这二十八座山峰为单位所描绘的内容与天空中的二十八星宿进行比较，两者之间有许多惊人的相似性，并据此认为二十八星宿的划分起源于《大荒经》中的用来观测星辰的二十八座山峰。《大荒经》以及与其具有渊源关系的《海外经》是两部占星古籍，其所描绘的神话，不仅来自与历法有关的物候，还有很多来自于对星宿的描写，以及对这些星宿的分野的描写。具体来说，《山海经》与二十八星宿的对应关系如下：

东方青龙七宿。1. 角——大言山·大人国、大人之市、小人国。2. 亢——合虚山·君子国。3. 氐——明星山（孽摇頵羝山）·奢比之尸。4. 房——鞠陵于天山、招摇山·玄股、困民之国。5. 心（氐）——孽摇頵羝山·扶木。6. 尾——猗天苏门山·埙民之国。7. 箕——壑明俊疾山（明星山）·中容之国。

北方玄武七宿。1. 奎——方山。2. 娄——丰沮玉门山。3. 胃——龙山。4. 昴——日月山。5. 毕——鏖鏊钜山。6. 觜——常阳山。7. 参——大荒山。

西方白虎七宿。1. 斗——不咸山。2. 牛——衡天山。3. 女——先槛大逢山。4. 虚——北极天柜山。5. 危——成都载天山。6. 室——不句山。7. 壁——融父山。

南方朱雀七宿。1. 井——衡石山·牛黎之国。2. 鬼——不庭山·结匈国。3. 柳——不姜山·羽民国、卵民国。4. 星——去痊山。5. 张——融天山·张弘、反舌国（蜮民国）、凿齿国、交胫国。6. 翼——涂山·驩头国、三苗国、狄山（岳山）与舜之所葬。7. 轸——天台高山·不死民、菌人。8. 轸——天台高山·不死民、菌人。

上述观点可视为一家之言。不过，由于《山海经》记载有东南西北中各区域的山脉及其人文地理，因此如果采用分野对应星宿的话，总是能够找到地上的 28 处山峰来对应天上的二十八星宿的。有鉴于此，如果说《山海经》里记载有二十八星宿，那么直接的证据应该是其中记述有二十八星宿的星名（哪怕有若干星名也算是很好的证据）。

（二）二十八星宿起源于北斗历法

古代使用二十八宿的国家和地区包括中国、印度、埃及、伊朗、巴比伦、印第安等，而最完整的则是中国和印度，其起源仍然众说纷纭。诸多证据表明，二十八宿最早起源于中国，然后才逐渐传播到其他地方。理由之一是，二十八宿与北斗星总是紧密联系在一起，而印度由于地理位置靠近赤道因此从来都不关心北斗星。理由之二是，中国自古至今都是春夏秋冬四季，而印度古代却划分 6 个季节，即冬、春、夏、雨、秋、露

（近代改为寒、暑、雨三个季节）。其他理由尚多，这里不再一一论述。

二十八宿起源问题应该与其用途密不可分，目前已知二十八宿用途涉及五个方面。一是"月站"，即月亮每天从一宿移动到下一宿。二是"镇星年站"，即镇星（土星）每年从一宿移动到下一宿。三是"日站"，即太阳每年沿着二十八星宿转一周，约13天移动一宿。四是"斗柄星座"，陈遵妫在《中国天文学史》一书中指出，中国古代用二十八宿表示北斗七星斗柄所指的方位。五是"以齐七政"，《尚书·舜典》称"璇玑玉衡，以齐七政"，意思是用北斗七星调和日月五星的运行周期。

其中，"斗柄星座"之说的证据非常多，例如20世纪70年代湖北随县曾侯乙墓（下葬时间在公元前433年左右）出土的一件衣箱的漆箱盖上，绘有一幅彩色的天文图，画面中央是篆书的大个"斗"字，四周写着二十八宿的名称；显然，画中的"斗"字即北斗星，它位居中央地位乃是古人崇拜北斗的表现。在二十八宿文字圈的东侧绘有一龙，西侧绘有一虎，这与古人所说东方苍龙、西方白虎正好对应。这是目前所见年代最早的将青龙、白虎与二十八宿、北斗配合在一起的实物，也是中国迄今发现的关于二十八宿的最早文字记载。

黄海之滨的连云港市西南郊锦屏山马耳峰南麓的将军崖，海拔20米，由花岗岩构成，在一块长22米、宽15米的黑亮岩石上，有先夏时期古人敲凿、磨刻出的图案（刻痕至今仍然深达1厘米，不知用何工具），内容包括人面、鸟兽、农作物、日月星云，以及各种符号。值得注意的是，这里的太阳和星座图

案特别多，而且还有北斗九星，这就表明其年代非常久远。在距离将军崖百里远的灌云县大伊山等地，出土有石棺和表示星辰的石窝。上述天文活动发生在 6000—7000 年前，有可能是远古东夷人所为。

河南省濮阳地区古为"颛顼之墟"，这里在上古时代是五帝之一的颛顼及其部族的主要活动区域，相传颛顼葬在此地故而称为"帝丘"。据史料记载，颛顼曾实施"绝地天通"的重大改革，制定了中国第一部天文历法"颛顼历"。1987 年夏，濮阳市老城西南角的荒地西水坡，发现一处约公元前 4500 年的仰韶文化聚落遗址。其中，45 号墓是一座土坑竖穴墓，南北长 4.1 米，东西宽 3.1 米，南端圆曲，北端方正，东西两侧有一对弧形小龛，男性墓主头南脚北仰卧于墓中，周围葬有三具殉人。在墓主骨架两旁，有用蚌壳排列成的动物图形，东方为龙，西方为虎，头均向北，腿均向外侧。中国社会科学院考古研究所冯时认为，该墓葬体现出北斗的图形，殉人位置的摆放则再现了《尚书·尧典》所谓的"分至四神"，表明中国早期星象在 6000 年前已形成体系。

事实上，中国古代曾经广泛流行"北斗历法"，只是没有直接使用这个名称而已。例如，《鹖冠子》称"斗柄指东，天下皆春；斗柄指南，天下皆夏；斗柄指西，天下皆秋；斗柄指北，天下皆冬"，《夏小正》亦称"正月初昏，斗柄悬于下；六月初昏，斗柄正在上"，显然这都是在使用北斗历法判断季节。此外，北斗七星也用于夜间计时，每转 30 度即为一个时辰（2 小时），这对于军事作战是非常重要的。

　　但是，"斗柄星座"的说法也存在着困难。这是因为，北斗星是与二十八宿一起围绕北极星旋转的，因此斗柄（以北斗七星的第六颗星和第七颗星的连线为准）永远指向同一个恒星星座，即二十八宿的斗宿。此外，二十八宿记录四季的时间并非等分，而是春秋天数多，冬夏天数少，而且历代还有变化（这可能与历代观察者所在纬度有关）。

　　有鉴于此，二十八宿最早用途很可能是"日站"，即太阳每年沿着二十八星宿转一周；当然，这实际上是因为地球绕日旋转，所"看"到的太阳在星空背景的位置。问题在于，古人无法直接测定太阳在星空背景的位置，因此只能借助于其他间接的观测手段。从北斗星与二十八星宿的"捆绑"关系形成的斗柄星座来看，这个间接观测手段应该与北斗历法有关，因为两者都是对一年的时节进行天象观测，而这也是最具实用（农业、牧业、生活）的天文历法。

　　《夏小正》记载的天象"正月初昏，斗柄悬于下；六月初昏，斗柄正在上"，其中"斗柄悬于下"，即斗柄指向北，意思是初昏看见"斗宿"位于北方时，就是正月时节了（冬季）。所谓"斗柄正在上"，即斗柄指向南，意思是初昏看见"斗宿"（实际上用的是对称星宿"井"）位于南方时，就是六月时节了（夏季）。据此可知，当时已经采用"中星观测"，即初昏时观测天顶的星辰，属于更精确的因而也是后出的观测方法。对比之下，《尚书－尧典》标志四季的"鸟、火、星、虚"四星，则是偕日没观测，即在初昏时观测西方的天象（根据岁差，尧典四星的观测时间约在七八千年前）。

1674

　　综上所述，二十八宿乃是"北斗历法"与"日站"的结合，由斗柄星座标志的日站实际上是根据斗柄指向与四季关系在星空背景的推算位置。也就是说，古人根据初昏时观测到的二十八宿某一宿在星空的位置，就可以推知目前是一年里的什么时节。例如，冬季可见"叁星在户"，夏季可见"心、尾"当空。据此可知，二十八宿最早起源于中国古老的北斗历法，首先用于间接观测"日站"，与此同时又可用于观测月亮和土星、以及夜间计时，此外再加上"斗为帝车"、"以齐七政"的政治观念，因此而在中国得到广泛应用并远播海外。有趣的是，古人还将二十八宿与二十八种动物、二十八种草药和二十八宿战旗、云台二十八将（东汉开国将领）逐一对应起来，形成丰富的二十八宿文化，为此我们建议中国有关部门应该把二十八宿申报世界非物质文化遗产。

　　多少有一点令人感到奇怪的是，《山海经》里没有关于北斗七星的记载，或许是《山海经》在漫长的流传过程中丢失了相关的内容。如果我们能够 在山海经佚文里发现记述北斗七星的文字，那么也就可以从一个侧面去了解《山海经》与二十八星宿的关系了。

（三）二十八星宿与中草药

　　众所周知，行军作战需要掌握每天早晚的时间（其实质是确定地球自转的速度和位置），古人没有手表、闹钟等便携式时间测量器具，他们又是如何掌握每天里的时间呢？主要的方法就是，白天的时间看太阳在天空的位置，夜里的时间看恒星在天空的位置。此外，古代东方人还使用燃香、西方人还使用沙漏来计算时间，或者根据某些动物的行为来估计时间。

事实上，在中国古代兵书里就记载着，哨兵在夜间要观测二十八星宿的位置，以判断夜间的时间。为什么古人不用月亮、五大行星来确定夜里的时辰呢？这是因为，月亮和行星在天空中的相对位置经常变化，而它们的变化规律一般人又难以掌握。对比之下，恒星在天空中的相对位置几乎是不变的，它们的视位置主要与地球的自转运动和公转运动有关。当然并不是所有的恒星都适宜用来在夜间确定时间。中国古人使用的夜间"星星钟"一是北斗七星，二是二十八星宿，而两者往往结合在一起用。

事实上，中国古代科学家在天文学上的一项重要发现，就是从满天星斗中划分出二十八星宿，即东方青龙七宿：角、亢、氐、房、心、尾、箕；北方玄武七宿：斗、牛、女、虚、危、室、壁；西方白虎七宿：奎、娄、胃、昴、毕、觜、参；南方朱雀七宿：井、鬼、柳、星、张、翼、轸。随着地球自转一周，二十八星宿也旋转一周（尽管白天看不见，夜间却很清楚），因此它们可以很方便而且比较准确地用来辨别时间（特别是夜间的时辰）。

正是由于二十八星宿具有上述用途，因此它在古代军事上也有着重要价值。有趣的是，在古人的军事著作《武备志略》中，还记有军医在配制出草药后，要斋戒沐浴，祈祷二十八星宿神的情节，似乎二十八星宿有增加草药起死回生的神效，估计这种观念可能源于二十八星宿与月亮的关系，因为月亮的圆

缺被古人视为生死轮回。

更为有趣的是，古代军医还将二十八星宿与二十八种中草药一一对应起来，《武备志略》记述的二十八星宿与草药的关系如下：角宿，（已无）；亢宿，良姜草；氐宿，半夏草；房宿，商陆草；心宿，藜芦草；尾宿，钩吻草；箕宿，（已无）。斗宿，（已无）；牛宿，（已无）；女宿，（已无）；虚宿，芫花草；危宿，神仙草（草麻草）；室宿，皂角；壁宿，鬼箭草。奎宿，宣姜草；娄宿，断肠草；胃宿，鬼臼草；昴宿，胡荽草；毕宿，川乌草；觜宿，将军草；参宿，川红细辛草。井宿，雷公藤草；鬼宿，蹋躅草（柴大黄花）；柳宿，大戟红牙草；星宿，雷丸草；张宿，紫玉金丝草；翼宿，蟠不食草（蛇梦草）；轸宿，鱼（以下缺字）。

遗憾的是，北京图书馆普通古籍室的《武备志略》一书，其中涉及二十八星宿与中草药关系的内容，不知何年月被何人割去数页，以致上面介绍的内容多有缺字。而在《武备志》等古代兵书里，尚未见到相关的记载。有精通中医的人认为，东方青龙为木，木主肝；南方朱雀为火，火主心；西方白虎为金，金主肺；北方玄武为水，水主肾；因此，二十八星宿与二十八种中草药也应分为四大类，其中木科含七种，火科含七种，金科含七种，水科含七种。如果在《山海经》里能够找到二十八星宿对应的二十八种中草药，或许也能够从一个侧面表明《山海经》里隐藏着二十八星宿的信息。

众多的天文台、天文仪器
和天文学家

　　人类最初观测天象，完全是用肉眼观测，看到太阳从东方升起就知道白天开始了，看到太阳从西方落下就知道天要黑了。再以后，人们会根据太阳从东方哪一座山头升起，或者太阳从西方哪一座山落下，来判断一年里的季节，这些被选中的自然标志物（例如山头）就成为非人造的观测天象的仪器。接下来，人们又发明了自己制造的标志物，例如垂直标杆（圭表），去测量正午阳光照射下的标杆影长，以此判断夏至或冬至的时间，这些人造器具就成为最早的人造天文仪器。此后，人们又发明了有助于提高肉眼视力的器具或场地，例如窥管就具有望远镜功能，有人推测三星堆青铜面具那长长的凸日就可能是象征着特殊本领和特殊权力的窥管；坐井观天可以避免地面光线干扰，也可能具有类似天文望远镜的聚光功能。当人们在固定地点上设置可长期使用的天文仪器，并持续进行天象观测时，天文台就诞生了。值得注意的是，《山海经》里就记录有许多天文台和天文仪器，例如十二座日月出入山，方山的柜格之松，等等。

　　《山海经·大荒东经》和《大荒西经》记有十二座日月出入山。其中，《大荒东经》记有六座日月所出之山，它们依次是（自东南向东北）大言山、合虚山、明星山、鞠陵于天山、猗天苏门山、壑明俊疾山。与之对应的是，《大荒西经》记述有六座日月所入之山，它们依次是（自西北向西南）丰沮玉门山、龙山、日月山、鏖鏊钜山、常阳山、大荒山。此外，《大荒西经》还记述有一座日月所出入之山，即方山，它们共同构成了蔚为壮观的天文观测台阵。

　　上述六座日出之山和六座日落之山，彼此两两成对，表明在《大荒四经》撰稿时期的古人，曾以一年内太阳出入于不同的方位来判断季节。时至今日，偏远地区的人们，例如大小凉山的彝族，每年到一定时候，总要由一位经验丰富的老人，到寨子附近一定地方，或是一处山口，或是一块大石头旁，以一定的姿势，或则直立，或则一脚踏在石头上，观测太阳落山的位置，来确定播种季节，用这种"土办法"能精确到误差不超过五天。

　　其实，居住在城市里的细心读者也会发现，过了春分之后早晨太阳光会照射到面向北方的窗户，过了秋分之后早晨的太阳光才会照射到面向南方的窗户。

　　《山海经·大荒西经》："西海之外，大荒之中，有方山者，上有青树，名曰柜格之松，日月所出入也。"

　　经文"柜格之松"，古人没有解释。其实，根据"日月所出入"可知，柜格之松当与天文观测活动有关，而"方山"很可能是一座四方台形的天文观测站。所谓松木上有柜格，大约是在一笔直竖立的松木上，横向平行插有或绑有若干横木，这些横木彼此相隔一定的尺寸；观测者每天都在距离柜格之松的一个固定位置上，观测日月升起的高度在第几格的横木上，并据此判断一年的季节变化（最高的横木表示夏至，最低的横木表示冬至）。也就是说，柜格之松可能是最早的天文仪器之一，亦即后世圭表的前身。事实上，中国象形文字的圭字和表字，正是源自柜格之松的象形。不过，由于这种观测方法眼睛容易被灼伤，以后人们才逐渐改为观测圭表影子的方向和长短，不再需要"柜格"了。《拾遗记》亦记有："帝子（少昊）与皇娥泛于海上，以桂枝为表，结薰茅为旌，刻玉为鸠，置于表端，言鸠知四时之候，故《春秋传》曰司至是也，今之相风此之遗象也。"

《山海经·大荒西经》："大荒之中，有山名日月山，天枢也。吴姬天门，日月所入。"

所谓日月山"天枢也"，表明这里是一座观测北极星及其周边星空的天文台。所谓"吴姬天门"，顾名思义，应该是一种类似门状的天文观测仪器。在《山海经》里与其类似的还有猗天苏门山、丰沮玉门山，它们都属于门状天文观测仪器。凡此种种，很容易让人联想到英国著名的门状环形巨石阵，据说它们也是用于天文观测的。

《山海经》不仅记录了大量天文台和天文仪器，同时也记述了众多天文学家的天文观测活动。除了帝俊部落里给太阳洗澡的羲和、给月亮洗澡的常羲，以及日月山的噎鸣，《山海经·大荒四经》还有如下一组天文学家活动的记载。

　　《大荒东经》："大荒之中，有山名日鞠陵于天、东极、离瞀，日月所出。有神名曰折丹，东方曰折，来风曰俊，处东极以出入风。"

　　《大荒东经》："有女和月母之国。有人名曰鹓，北方曰鹓，来之风曰狻，是处东极隅以止日月，使无相间出没，司其短长。"

　　《大荒南经》："有神名曰因因乎，南方曰因乎，夸风曰乎民，处南极以出入风。"

　　《大荒西经》："有人名曰石夷，（西方曰夷），来风曰韦，处西北隅以司日月之长短。"

　　从上述记载可知，现存版本《大荒四经》里有若干错简和缺简。其一，《大荒东经》两条内容之一应该属于《大荒北经》，即女和月母之国的内容原本应在《大荒北经》，经文"是处东极隅"应为"是处北极隅"。其二，《大荒南经》脱落有关天文观测的内容。其三，《大荒西经》丢失"西方曰夷"字句，经文"处西北隅"应为"处西极隅"。

　　《大荒四经》记述的这一组分别位于东南西北四方的天文学家，他们不仅负责观测日月升落，而且还要观测预报来自东南西北四个方向的季风，有人认为他们还可能在观测二十八星宿。如果上述记载是真实的，那么北方天文台的馆长鹓，就有可能观测到北极区域的特殊天文景观，例如太阳半年升起、半年落下，或许这正是"使无相问出没"的内涵。南方天文台的馆长因因乎，也有可能观察到只有在南北回归线区域里才能够发生的阳光垂直照射现象。

　　有趣的是，《山海经·大荒西经》记有："有寿麻之国。南岳娶州山女，名曰女虔。女虔生季格，季格生寿麻。寿麻正立无景，疾呼无响。爰有大暑，不可以往。"所谓"寿麻正立无景"云云，乃是我国古籍关于赤道地区（南北回归线之间）自然环境的最早记述。寿麻正立在阳光下而没有身影，即正午阳光垂直照射现象；大声喊叫而没有回声，或与炎热环境对空气传播声音的影响有关；"爰有大暑，不可以往"。则是对赤道地区炎热气候的直接描述。

从开天辟地到宇宙起源

　　仰望星空，人们在惊叹大自然的瑰丽雄奇神秘的同时，会不由自主地追问宇宙及其万物是从哪里来的，继而又会进一步追问，提出这个问题的"我"又是从哪里来的，人类的智慧就在这样的一次次追问中不断向前发展。

　　《山海经·大荒西经》："大荒之中，有山名日月山，天枢也。吴姬天门，日月所入。有神，人面无臂，两足反属于头上，名曰嘘。颛顼生老童，老童生重及黎；帝令重献上天，令黎邛下地；下地是生噎，处于西极，以行日月星辰之行次。"

　　日月山是《大荒西经》记述的第四座观测日月西落的场地，它与其他日月出入山有所不同，因为这里是天枢所在。枢，原指门户的转轴，天枢即地球自转轴及其所指向的太空北极点；由于地球自转，宇宙所有的星辰看起来都在围绕着看不见的天枢和看得见的北极星在旋转，其中最明显的是北斗星的旋转。北斗七星的第一颗星（位于勺端）名天枢，第二颗星名天璇，天枢与天璇的延伸线正好指向北极星。

　　嘘即噎，《海内经》又作噎鸣，其职务用今天的话来说即日月山天文台的台长；所谓"两足反属于头上"，当是一种天文巫术动作，意在模拟日月群星的旋转。事实上，嘘与重、黎与老童与颛顼，乃天文世家，他们的出生和名称多有旋转之意。

此处经文"重献上天"、"黎邛下地"，在古史中又称作"颛顼绝地天通"。《国语·楚语下》记有：昭王问于观射父曰："《周书》所谓重、黎实使天地不通者，何也？若无然，民将能登天乎？"对曰："非此之谓也。古者民神不杂……及少昊之衰也，九黎乱德，民神杂糅，不可方物……颛顼受之，乃命南正重司天以属神，命火正黎司地以属民，使复旧常，无相侵渎，是谓绝地天通。"

绝地天通的内涵，观射父解释为重新划分社会等级，这是错误的。事实上，根据《大荒西经》的记载，"重献上天"和"黎邛下地"的举动完全是天文学意义上的行为，与社会地位无关。其实，绝地天通与开天辟地神话和女娲补天、后羿射日、共工撞到不周山、夸父逐日等神话传说的含义大体相同，在我国少数民族至今流传的近百个民间故事里，都记述有远古发生的天地大冲撞事件曾经导致天地不分、日月长期消失（类似核冬天现象），于是有英雄射日射月并重新找回藏起来的日月，天地才得以恢复正常，此即重与黎将天地重新分开之本义。

进一步说，重与黎将天地重新分开的故事，实际上体现着古人对宇宙起源于天地不分、浑沌一团的认识。这是因为，人类的历史意识很可能就萌发于这场天地大冲撞事件，因此他们自然会把这一"很久很久以前的事件"当成宇宙的起源。

华夏先民记忆的天地
大冲撞事件

　　中国先民很早就注意到，天空中不仅有太阳、月亮和恒星、行星，还时常有"不速之客"流星和彗星。《山海经·大荒西经》记有："有赤犬，名曰天犬，其所下者有兵。"所谓"天犬"就是体积比较大的发出赤红色光芒的流星。《山海经·海外南经》记有："三株树在厌火北，生赤水上，其为树如柏，叶皆为珠。一曰其为树若彗。"古人用"彗"形容树的形状，显然是曾经观测到彗星，而且对彗星相当的熟悉。

　　当发生体积巨大的流星或彗星撞击地球时，则称之为天地大冲撞事件，在中国远古神话传说和《山海经》等典籍里都记载有相关的信息，例如女娲补天、后羿射日、夸父逐日、嫦娥奔月、十日炙杀女丑、共工撞倒不周山等，而在各地区少数民族流传的相关民间故事（射日、射月、寻找失踪的日月等）也有近百个之多。

　　在中国少数民族水族流传的女娲补天故事里，女娲不仅补天，而且也曾射落多出的太阳。宋代学者罗泌（1131—?）在《路史·发挥一》注引《尹子·盘古篇》云："女娲补天，射十日。"遗憾的是，今本《山海经》有关女娲补天的记载已缺失了，而且有关后羿射日的记载也缺失了。所幸的是，《庄子·秋水》成玄英（唐贞观年间人）疏引古本《山海经》尚记有："羿射九日，落为沃焦。"

沃焦是什么？《古小说钩沉》辑《玄中记》称："天下之强者，东海之沃焦焉，水灌之而不已。沃焦者，山名也，在东海南，方三万里，海水灌之而即消，故水东南流而不盈也。"由此观之，后羿射落的九个"太阳"，实际上乃是天外来客陨星或彗星进入地球大气层剧烈摩擦发热发光的景象，它们落入东海后其余热仍然能够把海水蒸发，就好像是太平洋里那些活火山岛屿一样。

《山海经·海外西经》：女丑之尸，生而十日炙杀之。在丈夫北。以右手鄣其面。十日居上，女丑居山之上。

此处经文所描述的女丑与十日画面，属于巫术禳灾活动，女丑应该也是观测日月的天文学家，其事件发生时间当即郝懿行注谓："十日并出，炙杀女丑，于是尧乃命羿射杀九日也。"在古代，巫师既有权力，又有责任；当灾祸、灾异事件发生后，如果巫师不能通过巫术活动消除灾祸，那么他（她）便要以身殉职。

《山海经·海外北经》：夸父与日逐走，入日。渴欲得饮，饮于河渭，河渭不足，北饮大泽。未至，道 渴而死。弃其杖，化为邓林。

夸父逐日是远古的一种驱逐"妖日"（包括太阳异常发光、新星爆发、大型陨星等）的巫术活动或表演，届时巫师要表演

追逐太阳、干渴而死的一系列场景，结束时众人要象征性地展现妖日被驱逐、万木复生的景象。

我们知道，比较大的小行星、彗星在撞击地球后，会造成相应规模的陨石坑。因此，在先夏时期（时间段在 4000 年前到数万年前）发生的天地大冲撞事件，也应该在地球表面留下陨石坑——除非它落在海洋里——我们今天就有可能找到它。目前科学家已经找到的先夏时期陨石坑，比较著名的是美国亚利桑那州的陨石坑，直径 1200 米，深 180 米，撞击时间在 5 万年前。2009 年中国科学家发现辽宁省岫岩满族自治县古龙村有一处名叫罗圈里的地方，就坐落在陨石坑上，该陨石坑直径 1800 米，周围一圈山脉（由陨石撞击出的地壳岩石构成）高出地平线 150 米，撞击时间在 5 万年前。罗圈里陨石坑是中国境内第一个被证明的陨石坑（找到由撞击高温高压形成的变质岩、柯石英、熔融态玻璃微粒等），这里曾经长期是陨石坑湖，后来湖水从缺口流走，留下沉积的湖相淤泥有 108 米厚。此外，中国还有学者认为华北平原的白洋淀就是先夏时期的陨石坑，太湖也是陨石坑；国外有学者认为，公元前 11000 年至公元前 10000 年间，地球曾遭到天外星体的撞击，导致猛犸象等众多动物灭绝。上述天地大冲撞事件，完全有可能被人类记忆下来，而中华先民的相关记忆可能是最丰富的。

是日，友人与纮野山人聊到此时，向窗外望去，依稀可见三两颗星星。友人叹曰：多么迷人的星空啊！

望着友人远去的身影，纮野山人忽然若有所思：中国辽宁省陨石坑与美国亚利桑那州陨石坑都发生在 5 万年前，如果它们是同一次天地大冲撞事件，或许还会在两者地理位置的连线上找到这一事件造成的其他陨石坑，而闹得沸沸扬扬的 2012 年玛雅大预言，有可能就是类似灾难事件投射给远古人类的反应。

蜚，出于太山，样子象牛，头部白色，独眼，蛇尾，
上古的瘟疫之兽。

化蛇，这是个人面豺身，背生双翼，行走如蛇，盘行蠕动的怪物。它的声音如同婴儿大声啼哭，又像是妇人在叱骂。化蛇很少开口发音，一旦发音就会招来滔天的洪水。《山海经（中次二经）》有记载。据说春秋时代，有农夫在魏国大梁城附近听见婴儿啼哭，找到后发现却是一个蛇形妖怪。此后三天，黄河果然泛滥，淹没沿途八百五十多个城镇乡村